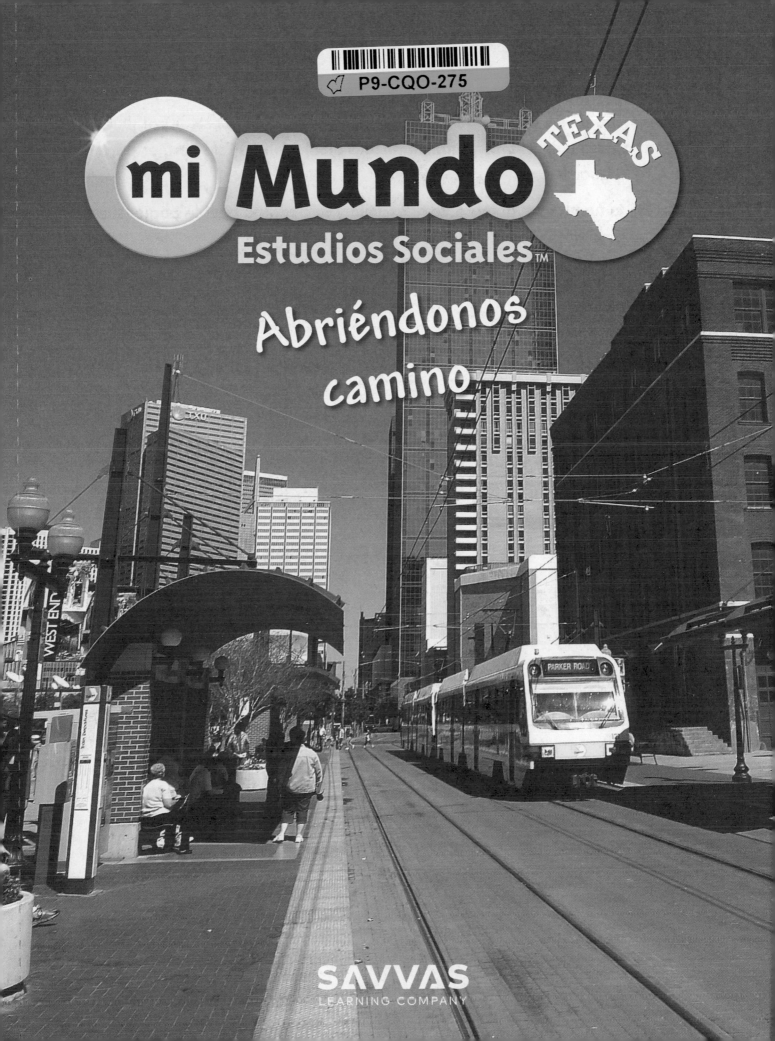

mi Mundo TEXAS
Estudios Sociales™
Abriéndonos camino

P9-CQO-275

SAVVAS
LEARNING COMPANY

¡Esta también es mi historia!

Tú eres uno de los autores de este libro. ¡Puedes escribir en este libro! ¡Puedes tomar notas en este libro! ¡También puedes dibujar en él! Este libro es para que tú lo guardes.

Escribe tu nombre, el nombre de tu escuela y tu ciudad o pueblo abajo. Luego escribe algo acerca de ti.

Nombre

_____

Escuela

_____

Ciudad o pueblo

_____

Acerca de mí

_____

_____

Cubierta:
Arriba: I: niños jugando fútbol; **D:** un astronauta y un transbordador espacial **Centro: I:** brújula; **C:** una niña llega a la escuela; **D:** Capitolio, Austin, Texas **Abajo:** águila americana, símbolo nacional

Contracubierta:
Arriba: señales viales **Segunda hilera:** bandera de Texas **Tercera hilera: I:** construyendo casas en el pasado; **C:** un armadillo; **D:** un hombre y un niño en una granja de Cuero, Texas
Abajo: un rodeo en los Corrales de Fort Worth

Softcover:
ISBN-13: 978-0-328-81355-1
ISBN-10: 0-328-81355-9

Hardcover:
ISBN-13: 978-0-328-84910-9
ISBN-10: 0-328-84910-3

SAVVAS
LEARNING COMPANY

13 2020

Savvas *Texas myWorld Social Studies* was developed especially for Texas with the help of teachers from across the state and covers 100 percent of the Texas Essential Knowledge and Skills for Social Studies. This story began with a series of teacher roundtables in cities across the state of Texas that inspired a program blueprint for *Texas myWorld Social Studies*. In addition, Judy Brodigan served as our expert advisor, guiding our creation of a dynamic Social Studies curriculum for TEKS mastery. Once this blueprint was finalized, a dedicated team—made up of Savvas authors, content experts, and social studies teachers from Texas—worked to bring our collective vision into reality.

Savvas would like to extend a special thank you to all of the teachers who helped guide the development of this program. We gratefully acknowledge your efforts to realize the possibilities of elementary Social Studies teaching and learning. Together, we will prepare Texas students for their future roles in college, careers, and as active citizens.

Autores asesores del programa

The Colonial Williamsburg Foundation
Williamsburg VA

Armando Cantú Alonzo
Associate Professor of History
Texas A&M University
College Station TX

Dr. Linda Bennett
Associate Professor, Department of
  Learning, Teaching, & Curriculum
College of Education
University of Missouri
Columbia MO

Dr. James B. Kracht
Byrne Chair for Student Success
Executive Associate Dean
College of Education and Human
  Development
College of Education
Texas A&M University
College Station TX

Dr. William E. White
Vice President for Productions,
  Publications and Learning
  Ventures
The Colonial Williamsburg
  Foundation
Williamsburg VA

Asesores y revisores

Asesores académicos

Kathy Glass
Author, *Lesson Design for
  Differentiated Instruction*
President, Glass Educational
  Consulting
Woodside CA

Roberta Logan
African Studies Specialist
Retired, Boston Public Schools/
  Mission Hill School
Boston MA

Jeanette Menendez
Reading Coach
Doral Academy Elementary
Miami FL

Bob Sandman
Adjunct Assistant Professor of
  Business and Economics
Wilmington College—Cincinnati
  Branches
Blue Ash OH

Asesora del programa

Judy Brodigan
Former President, Texas Council
  for Social Studies
Grapevine TX

Costa Nacional Isla del Padre

RELACIONAR

Domina los TEKS con una conexión personal.

miHistoria: ¡Despeguemos!

Las actividades de escritura de **myStory Book** comienzan con la actividad **miHistoria: ¡Despeguemos!** Allí puedes anotar tus ideas iniciales sobre la **Pregunta principal**.

Se cubre el 100% de los TEKS.

Texas

Capítulo **4**

El gobierno de los Estados Unidos

mi Historia: ¡Despeguemos!

¿Por qué es necesario el gobierno?

Piensa en por qué los líderes crean reglas. Luego **escribe** por qué las reglas son importantes.

Vistazo a los TEKS

Al comienzo de cada capítulo, dale un vistazo a los objetivos de aprendizaje de los TEKS. **También verás los TEKS integrados en cada lección y al final de cada una de ellas.**

Conocimiento y destrezas esenciales de Texas

1.A Describir cómo los individuos, los acontecimientos y las ideas han cambiado las comunidades, en el pasado y en el presente.

2.A Identificar por qué las personas han formado comunidades, incluyendo la necesidad de seguridad y protección, libertad de religión, de leyes y de bienestar material.

9.A Describir la estructura básica del gobierno en la comunidad local, en el estado y en la nación.

9.B Identificar los oficiales gubernamentales locales, estatales y nacionales y explicar cómo se eligen.

9.C Identificar los servicios que comúnmente proporcionan los gobiernos locales, estatales y nacionales.

9.D Explicar cómo se financian los servicios gubernamentales locales, estatales y nacionales.

A Identificar los propósitos de la Declaración de Independencia y de la Constitución de EE. la Carta de Derechos.

icar el concepto de "consentimiento de los gobernado."

140

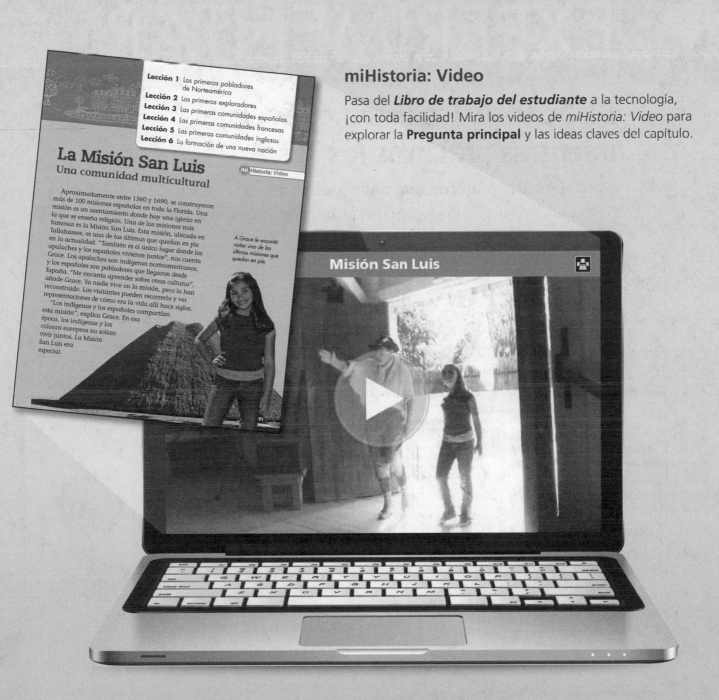

miHistoria: Video

Pasa del *Libro de trabajo del estudiante* a la tecnología, ¡con toda facilidad! Mira los videos de *miHistoria: Video* para explorar la **Pregunta principal** y las ideas claves del capítulo.

Lección 1 Los primeros pobladores de Norteamérica
Lección 2 Los primeros exploradores
Lección 3 Las primeras comunidades españolas
Lección 4 Las primeras comunidades francesas
Lección 5 Las primeras comunidades inglesas
Lección 6 La formación de una nueva nación

La Misión San Luis
Una comunidad multicultural

Aproximadamente entre 1560 y 1690, se construyeron más de 100 misiones españolas en toda la Florida. Una misión es un asentamiento donde hay una iglesia en la que se enseña religión. Una de las misiones más famosas es la Misión San Luis. Esta misión, ubicada en Tallahassee, es una de las últimas que quedan en pie en la actualidad. "También es el único lugar donde los apalaches y los españoles vivieron juntos", nos cuenta Grace. Los apalaches son indígenas norteamericanos, y los españoles son pobladores que llegaron desde España. "Me encanta aprender sobre otras culturas", añade Grace. Ya nadie vive en la misión, pero la han reconstruido. Los visitantes pueden recorrerla y ver representaciones de cómo era la vida allí hace siglos.

"Los indígenas y los españoles compartían esta misión", explica Grace. En esa época, los indígenas y los colonos europeos no solían vivir juntos. La Misión San Luis era especial.

A Grace le encantó visitar una de las últimas misiones que quedan en pie.

Acceso a los TEKS

El programa *miMundo Estudios Sociales* para Texas cubre los TEKS en todos los formatos. Accede al contenido a través de la versión impresa del *Libro de trabajo,* a través del *eText,* o en línea con el curso digital en Realize.

Conéctate en línea a: SavvasTexas.com

Cada lección está respaldada por actividades digitales, miHistoria: Videos y actividades de vocabulario.

EXPERIMENTAR

Disfruta de los Estudios Sociales mientras practicas los TEKS.

Libro de trabajo interactivo del estudiante

Con el *Libro de trabajo del estudiante **miMundo Estudios Sociales*** para Texas, te encantará tomar notas, dibujar, subrayar y encerrar en un círculo texto o imágenes en tu propio libro.

Destrezas clave de lectura

El *Libro de trabajo* te permite practicar las **Destrezas clave de lectura**, destrezas esenciales que necesitarás al leer textos informativos. Refuerza tus TEKS de Artes del lenguaje en español (SLA) durante el período de Estudios Sociales.

SAVVAS realize | Conéctate en línea a: SavvasTexas.com | Cada lección está respaldada por actividades digitales, miHistoria: Videos y actividades de vocabulario.

Libritos por nivel/Leveled Readers

Interesantes libritos por nivel están disponibles en inglés, en formato impreso y en formato digital en Realize.

Actividades digitales

Cada lección incluye **Actividades digitales** que apoyan la Idea principal.

COMPRENDER

Verifica tus conocimientos de los TEKS y demuestra tu comprensión.

miMundo: Actividades

Trabaja en grupos pequeños con tus compañeros en actividades como crear mapas, gráficas, dramatizaciones, leer en voz alta y analizar fuentes primarias. En Realize puedes hallar versiones digitales de actividades prácticas e innovadoras para cada capítulo.

Las **prácticas de TEKS** se encuentran al final de cada capítulo.

myStory Book

myStory Book te da la oportunidad de escribir e ilustrar tu propio libro digital. Visita **www.Tikatok.com/ myWorldSocialStudies** para más información.

Conéctate en línea a: SavvasTexas.com

Cada lección está respaldada por actividades digitales, miHistoria: Videos y actividades de vocabulario.

Celebremos Texas y la nación

Mi escuela, mi comunidad

SAVVAS
realize. Conéctate en línea a
SavvasTexas.com

▶ *eText* interactivo

▶ miHistoria: Video
   ¿Cómo coopera mejor la gente?

▶ Canción
   Letra y música

▶ Vistazo al vocabulario

▶ Repaso del vocabulario

▶ Exámenes del capítulo

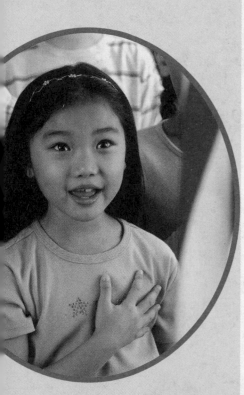

El trabajo en la comunidad

SAVVAS realize Conéctate en línea a
SavvasTexas.com

- ▷ *eText* interactivo
- ▷ miHistoria: Video
  ¿Cómo obtienen las personas lo que necesitan?
- ▷ **Canción**
  Letra y música
- ▷ Vistazo al vocabulario
- ▷ Repaso del vocabulario
- ▷ Exámenes del capítulo

Observar nuestro mundo

realize Conéctate en línea a
SavvasTexas.com

- ▶ *eText* interactivo
- ▶ **miHistoria: Video**
  ¿Cómo es el mundo?
- ▶ **Canción**
  Letra y música
- ▶ **Vistazo al vocabulario**
- ▶ **Repaso del vocabulario**
- ▶ **Exámenes del capítulo**

xii

Las tradiciones que compartimos

Conéctate en línea a SavvasTexas.com

- ▶ *eText* interactivo
- ▶ miHistoria: Video
  ¿Cómo se comparte la cultura?
- ▶ **Canción**
  Letra y música
- ▶ **Vistazo al vocabulario**
- ▶ **Repaso del vocabulario**
- ▶ **Exámenes del capítulo**

PREGUNTA PRINCIPAL ❓ **¿Cómo se comparte la cultura?**

Nuestro pasado, nuestro presente

realize Conéctate en línea a
SavvasTexas.com

▶ *eText* interactivo

▶ miHistoria: Video
¿Cómo cambia la vida a lo largo de
la historia?

▶ Canción
Letra y música

▶ Vistazo al vocabulario

▶ Repaso del vocabulario

▶ Exámenes del capítulo

El proceso de la escritura

Los buenos escritores siguen pasos cuando escriben. ¡Estos cinco pasos te ayudarán a ser un buen escritor!

Prepararse	Planifica tu escrito.
Borrador	Escribe tu primer borrador.
Revisar	Mejora tu escrito.
Corregir	Corrige tu escrito.
Presentar	Presenta tu escrito a tus compañeros.

Aprendizaje del siglo XXI
Tutor en línea

Conéctate en línea a SavvasTexas.com para practicar las siguientes destrezas. Estas destrezas serán importantes a lo largo de tu vida. Después de completar cada tutoría de destrezas en línea, márcalas en esta página de tu Libro de trabajo.

⊙ Destrezas clave de lectura

- ☐ Idea principal y detalles
- ☐ Causa y efecto
- ☐ Clasificar y categorizar
- ☐ Hechos y opiniones
- ☐ Sacar conclusiones

- ☐ Generalizar
- ☐ Comparar y contrastar
- ☐ Secuencia
- ☐ Resumir

Destrezas de colaboración y creatividad

- ☐ Resolver problemas
- ☐ Trabajar en equipo

- ☐ Resolver conflictos
- ☐ Generar nuevas ideas

Destrezas de gráficas

- ☐ Interpretar gráficas
- ☐ Crear tablas

- ☐ Interpretar líneas cronológicas

Destrezas de mapas

- ☐ Usar longitud y latitud
- ☐ Interpretar mapas físicos

- ☐ Interpretar datos económicos en mapas
- ☐ Interpretar datos culturales en mapas

Destrezas de razonamiento crítico

- ☐ Comparar puntos de vista
- ☐ Usar fuentes primarias y secundarias
- ☐ Identificar la parcialidad

- ☐ Tomar decisiones
- ☐ Predecir consecuencias

Destrezas de medios y tecnología

- ☐ Hacer una investigación
- ☐ Uso seguro de Internet
- ☐ Analizar imágenes

- ☐ Evaluar el contenido de los medios de comunicación
- ☐ Hacer una presentación eficaz

Celebremos la libertad

Libertad de elección

TEKS
13.A, 14.D, 18.B

La libertad es el derecho de una persona de escoger opciones. Una opción que tenemos en nuestro país es votar. **Votar** es escoger una opción que se cuenta. Cada persona puede emitir un voto.

Puedes votar en clase para tomar una decisión en grupo. Puedes votar para escoger a qué jugar. ¡Votar es una tradición que celebra nuestra libertad!

1. **Subraya** lo que somos libres de hacer en nuestro país.

Vocabulario

votar

alcalde

Voters Register Here!

VOTING BOOTH

Ballot Box

1

Libertad de voto

Las personas tienen la libertad de tomar decisiones importantes en nuestro país. Una decisión es votar a nuestros líderes.

El alcalde es el líder de una comunidad. El **alcalde** es el líder principal de un pueblo o una ciudad.

El alcalde trabaja con otros líderes. Se aseguran de que estemos protegidos. Se aseguran de que la comunidad tenga todo lo que necesita para funcionar sin problemas.

2. ¿Qué decisión pueden tomar las personas en nuestro país?

¡Es hora de votar!

- **Haz** un cartel para convencer a las personas de votar.

- **Haz un dibujo** colorido. Agrega detalles.

- **Escribe** un lema o una oración.

- **Di** por qué es importante votar.

No espere más. ¡Vote hoy!

Mira todos los carteles de la clase. Vota los tres carteles que más te gustan.

El Álamo

TEKS
14.A

Hace mucho tiempo, Texas era parte de México.
Los texanos querían la libertad.

Vocabulario

misión

El Álamo era una **misión,** o iglesia, española
en San Antonio. Los texanos que querían la
libertad tomaron la ciudad en diciembre de 1835.
Usaron El Álamo como campamento.

Pronto, muchos soldados mexicanos atacaron
El Álamo. Los texanos se defendieron, pero
perdieron la batalla. El Álamo se convirtió en un
símbolo de la lucha por la libertad.

1. ¿Por qué El Álamo es un símbolo importante?

_____

_____

_____

Sam Houston

TEKS
2.A

Sam Houston y otros texanos seguían queriendo que Texas fuera libre. El 21 de abril de 1836, él y su ejército ganaron la Batalla de San Jacinto. Los soldados gritaban "¡Recuerden El Álamo!" durante la batalla. Texas ganó su **independencia,** o libertad.

Todos los años celebramos la libertad el Día de la Batalla de San Jacinto.

1. **Subraya** hechos que demuestren por qué Sam Houston fue un líder importante.

2. **Encierra** en un círculo lo que hacen las personas el Día de la Batalla de San Jacinto.

Vocabulario

independencia

SAM HOUSTON
1793 1863

5

Bienvenidos a Texas

Un mapa de Texas

Texas es uno de los 50 estados de los Estados Unidos. En el mapa se muestran las ciudades principales. Austin es la capital de Texas. Por eso tiene una estrella.

TEKS
5.B

Vocabulario

limitar

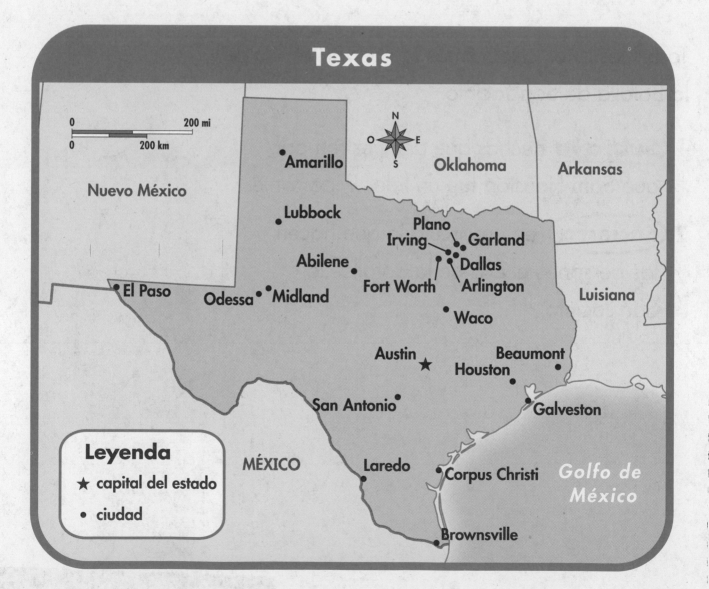

Texas

0 — 200 mi
0 — 200 km

Amarillo
Nuevo México
Oklahoma
Arkansas
Lubbock
Plano
Irving — Garland
Abilene — Dallas
El Paso — Fort Worth — Arlington
Odessa — Midland
Luisiana
Waco
Austin ★
Beaumont
Houston
San Antonio
Galveston

Leyenda
★ capital del estado
• ciudad

MÉXICO
Laredo
Corpus Christi
Golfo de México
Brownsville

6

Cuatro estados **limitan** con Texas. Eso quiere decir que están ubicados junto a Texas. Los estados son Nuevo México, Oklahoma, Arkansas y Luisiana. México es un país que también limita con Texas. Está al oeste de Texas. El golfo de México está al este de Texas.

1. **Encierra** en un círculo la capital del estado en el mapa.

2. **Marca** con una X en el mapa el lugar donde vives.
   Escribe el nombre de la comunidad donde vives.

   _____

   _____

3. Usa un globo terráqueo para **ubicar** los Estados Unidos y Texas.

El lema de Texas
Amistad

TEKS
14.C

Vocabulario

lema

Un **lema** es un dicho. Recuerda a las personas lo que es importante. El lema de Texas es "Amistad".

Hace mucho tiempo, el nombre de Texas era *Tejas* en español. La palabra *Tejas* proviene de una palabra indígena. Quiere decir "amigos".

1. **Subraya** el lema de Texas.

2. **Haz un dibujo** de lo que significa el lema de Texas para ti.

8

♪♪ "Texas, Our Texas"

Un **himno** es una canción de alabanza. El himno de nuestro estado se llama *"Texas, Our Texas"*. Nos recuerda lo que es importante sobre el lugar donde vivimos.

Vocabulario

himno

*God bless you Texas!
And keep you brave and strong,
That you may grow in power
and worth,
Throughout the ages long.*

¡Que Dios te bendiga, Texas!
Que te haga valeroso y fuerte,
que crezcan tu poder y tu valía,
y que perduren para siempre.

1. **Subraya** las palabras del himno en español que hablan sobre Texas.

9

La bandera de los Estados Unidos

Juramento a la bandera

Vocabulario

juramento

Un símbolo patrio, o patriótico, de nuestro país es la bandera. Decimos un **juramento,** o promesa, a la bandera. Prometemos ser leales. También prometemos mostrar que nos preocupamos por nuestro país.

I pledge allegiance to the Flag of the United States of America and to the Republic for which it stands, one Nation under God, indivisible, with liberty and justice for all.

Juro lealtad a la bandera de los Estados Unidos de América y a la República que representa, una nación, ante Dios, indivisible, con libertad y justicia para todos.

1. Encierra en un círculo las oraciones que indican por qué decimos el Juramento a la bandera.

2. **Recita** el Juramento a la bandera.

10

La bandera de Texas
Nuestro juramento

La bandera de Texas es un **símbolo** patrio que representa a nuestro estado. Decimos un juramento a nuestra bandera. Prometemos mostrarle afecto a nuestro estado. También prometemos respetarlo.

Vocabulario
....
símbolo

> *Honor the Texas flag; I pledge allegiance to thee, Texas, one state under God, one and indivisible.*
>
> Honra a la bandera de Texas; te juro lealtad, Texas, un estado bajo Dios, uno e indivisible.

1. **Subraya** un símbolo patrio que representa a Texas.

2. **Recita** el Juramento a la bandera de Texas.

3. **Di** por qué dices un juramento a la bandera de Texas.

Mi escuela, mi comunidad

mi Historia: ¡Despeguemos!

¿Cómo coopera mejor la gente?

Haz un dibujo en el que estés siendo un buen ciudadano en la escuela.

mi Historia: Video

🌟 Conocimiento y destrezas esenciales de Texas

11.A Explicar el propósito de las reglas y las leyes en el hogar, en la escuela y en la comunidad.

11.B Identificar las reglas y las leyes que establecen el orden, proporcionan seguridad y manejan los conflictos.

12.A Identificar las responsabilidades de las personas que representan la autoridad en el hogar, en la escuela y en la comunidad.

12.B Identificar y describir el papel que cumplen los oficiales públicos en la comunidad, en el estado y en la nación.

12.C Identificar y describir el papel que cumple un buen ciudadano para mantener una república constitucional.

13.A Identificar características de lo que significa ser un buen ciudadano, lo que incluye la veracidad, la justicia, la igualdad, el respeto por uno mismo y por los demás, la responsabilidad en el diario vivir y la participación en el gobierno, manteniéndose informado sobre los asuntos gubernamentales, respetuosamente siguiendo las disposiciones de los oficiales públicos y votando.

13.B Identificar personajes históricos tales como Benjamin Franklin, Francis Scott Key y Eleanor Roosevelt, quienes han sido un ejemplo de buena ciudadanía.

14.A Explicar los símbolos patrios estatales y nacionales, incluyendo las banderas de los Estados Unidos y de Texas, la Campana de la Libertad, la Estatua de la Libertad y el Álamo.

14.B Recitar y explicar el significado del Juramento a la bandera de los Estados Unidos y el Juramento a la bandera de Texas.

14.C Identificar los himnos y lemas de Texas y de los Estados Unidos.

14.D Explicar y practicar el voto como forma de elección y de toma de decisiones.

14.E Explicar cómo las costumbres y celebraciones patrióticas reflejan el individualismo y la libertad estadounidense.

14.F Identificar el Día de la Constitución como una celebración de la libertad estadounidense.

17.B Obtener información sobre algún tópico, utilizando una variedad de fuentes visuales tales como imágenes, símbolos, comunicación electrónica de los diferentes medios, mapas, literatura y artefactos.

17.C Ordenar en secuencia y categorizar la información.

18.A Expresar sus ideas oralmente basándose en el conocimiento y las experiencias.

18.B Crear e interpretar materiales visuales y escritos.

19.A Usar un proceso de solución de problemas para identificar un problema, reunir información, hacer una lista y considerar opciones, considerar las ventajas y desventajas, elegir e implementar una solución y evaluar la efectividad de la solución.

🎵 Empecemos con una canción

Nuestra bandera

Canta con la melodía de "Las mañanitas".

El Día de la Independencia
una nueva historia comenzó.
Hoy honramos la bandera,
símbolo de la nación.

Bandera, linda bandera,
que está en nuestro corazón,
nosotros la saludamos
con una gran emoción.

savvas realize™   Conéctate en línea a tu lección digital interactiva.

13

líder

gobierno

gobernador

presidente

símbolo

Conozcan al gobernador

1897

ALCALDÍA

NO ESTACIONAR EN TODO EL DÍA

Soy un buen ciudadano

¡Imagínalo!

Encierra en un círculo a alguien que ayuda.

TEKS
13.A, 14.B, 17.B, 18.A, 18.B

Un **ciudadano** es una persona que pertenece a un estado o un país (o nación). Los buenos ciudadanos trabajan para mejorar las cosas. Ayudan a los demás. Siguen las reglas. Dicen la verdad y son justos. Los buenos ciudadanos se respetan a sí mismos y a los demás. Esas son las responsabilidades de los buenos ciudadanos. Una **responsabilidad** es algo que debes hacer.

1. ◉ **Hechos y opiniones** **Subraya** las responsabilidades diarias de los buenos ciudadanos en las oraciones de arriba.

16

Aprenderé cómo podemos ser buenos ciudadanos.

Vocabulario

ciudadano
responsabilidad
comunidad

Ciudadanos en la escuela

Podemos ser buenos ciudadanos en la escuela. Podemos ayudar a los demás. Podemos seguir las reglas. Podemos trabajar bien en grupo.

Los buenos ciudadanos se preocupan por su país. Lo demostramos cuando hacemos el Juramento a la bandera. El Juramento dice que seremos leales a nuestro país.

2. **Escribe** una manera en que puedes ser buen ciudadano en la escuela.

Ciudadanos en la comunidad

Una **comunidad** es el lugar donde las personas viven, trabajan y juegan. Puedes ser buen ciudadano en tu comunidad. Puedes seguir las reglas de tu comunidad. Puedes hacer cosas que ayuden a los demás. Puedes ayudar a mantener limpia la comunidad.

3. **Subraya** en las oraciones de arriba maneras de ser buen ciudadano en tu comunidad.

Recoger basura junto a la carretera

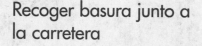

4. ◉ **Idea principal y detalles** **Lee** las siguientes oraciones. **Subraya** la idea principal.

Soy buen ciudadano. Digo la verdad. Soy justo. Sigo las reglas. Pongo la basura en su lugar.

5. ❓ Soy buen ciudadano en la clase cuando

mi Historia: Ideas

_____

6. **Haz dos dibujos** en una hoja aparte. Muestra dos maneras en que eres un ciudadano responsable todos los días.

7. **Habla** con un compañero. **Identifica** las características de un buen ciudadano. **Explica** cómo puedes mostrar esas características.

SAVVAS realize. Conéctate en línea a tu lección digital interactiva.

19

Mis derechos y responsabilidades

¡Imagínalo!

Estos niños ayudan en el hogar.

Los buenos ciudadanos tienen derechos y responsabilidades. Un **derecho** es lo que eres libre de hacer o tener. Una responsabilidad es algo que debes hacer.

1. **Mira** la imagen. ¿Qué responsabilidad tiene la niña?

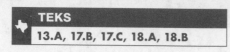

20

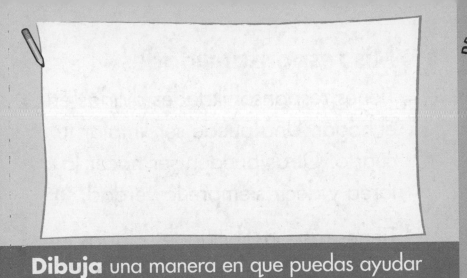

Vocabulario

derecho

cooperar

Dibuja una manera en que puedas ayudar en el hogar.

Mis derechos

Tú tienes derechos en el hogar y en la escuela. Tienes derecho a decir lo que piensas. Tienes derecho a ser parte de un grupo. También tienes derecho a reír, hablar y jugar.

2. ◉ **Idea principal y detalles** (Encierra) en un círculo la idea principal de arriba. **Subraya** las oraciones que tienen detalles.

Mis responsabilidades

Tienes responsabilidades diarias en el hogar. Una puede ser limpiar tu cuarto. Otras pueden ser hacer la tarea y decir siempre la verdad.

Tienes responsabilidades diarias en la escuela. Una es hacer el mejor trabajo que puedas. Otras son seguir las reglas y esperar tu turno.

3. **Marca** los recuadros que muestran tus responsabilidades diarias.

| Mis responsabilidades diarias ||
En el hogar	En la escuela
☐ dar de comer a una mascota	☐ esperar mi turno
☐ poner la mesa	☐ llevarme bien con los demás
☐ limpiar mi cuarto	☐ seguir las reglas
☐ decir la verdad	☐ hacer el mejor trabajo que pueda

Cooperar con los demás es tu responsabilidad. Al **cooperar,** trabajas en conjunto y muestras respeto por los demás. No acosas a tus compañeros. Trabajas bien con los demás.

¿Entiendes?

TEKS 13.A, 18.A, 18.B

4. ● **Hechos y opiniones** **Lee** la siguiente oración. **Escribe** si es un hecho o una opinión.

Tienes derecho a ser parte de un grupo.

_____
- -
_____

5. **?** Una responsabilidad que tengo en clase es

mi Historia: Ideas

_____
- -
_____
- -
_____

6. **Escribe** en una hoja aparte. **Haz una lista** de las maneras en que muestras respeto por ti mismo y por los demás. **Habla** con un compañero sobre las veces en que mostraste respeto.

SAVVAS realize Conéctate en línea a tu lección digital interactiva.

Resolución de problemas

Un problema es algo que se debe resolver.
Una solución es una respuesta a un problema.

1. Identifica el problema.

2. Reúne información sobre el problema.

3. Haz una lista de las maneras de resolverlo.

4. Pregúntate: "¿Qué solución será la mejor?".

5. Escoge una solución y resuelve el problema.

6. Piensa si tu plan funcionó.

TEKS

ES 19.A Usar un proceso de solución de problemas para identificar un problema, reunir información, hacer una lista y considerar opciones, considerar las ventajas y desventajas, elegir e implementar una solución y evaluar la efectividad de la solución.

¡Inténtalo!

1. **Nombra** el problema. Usa los pasos de la página 24 para resolver el problema.

2. **Haz un dibujo.** Muestra una manera en que los niños pueden resolver el problema. **Di** por qué ese plan es el mejor.

Sigo las reglas y las leyes

¡Imagínalo!

Encierra en un círculo las señales que muestran lo que las personas deben o no deben hacer.

TEKS
11.A, 11.B, 17.B, 17.C, 18.A, 18.B

Te lavas los dientes después de comer. Esa es una regla del hogar. Compartes los libros. Esa es una regla de la clase. Las reglas nos dicen qué hacer. También nos dicen qué no hacer.

Las comunidades también tienen reglas. Una regla de una comunidad se llama **ley.** Las leyes nos dicen lo que debemos hacer en la comunidad. También nos dicen lo que no debemos hacer.

PLEASE KEEP OFF THE GRASS

El cartel dice: No pisar el pasto, por favor.

Reglas y leyes

Las reglas y las leyes establecen el orden y hacen que las cosas sean justas. Levantamos la mano para decir algo en clase.

Algunas reglas y leyes se establecen para proporcionarnos seguridad. Sirven para protegernos. Usamos el cinturón de seguridad cuando viajamos en carro.

Otras reglas y leyes sirven para manejar conflictos. Nos ayudan a llevarnos bien con los demás. Nos turnamos para hacer cosas y compartimos.

1. ◉ **Hechos y opiniones**
   Subraya tres hechos que explican por qué tenemos reglas y leyes.

SAVVAS realize™   Conéctate en línea a tu lección digital interactiva.

27

Las reglas y las leyes en el hogar

También hay reglas en el hogar. Cuidamos nuestras cosas. Hacemos la cama. Limpiamos nuestro cuarto.

Las reglas en el hogar hacen que las cosas sean justas. Todos hacemos nuestra parte para ayudar. Nos turnamos para dar de comer a las mascotas. También nos turnamos para poner la mesa.

Las reglas nos ayudan a estar protegidos y sanos. Guardamos los juguetes para que nadie se lastime. Nos lavamos las manos antes de comer. Esa regla nos ayuda a estar sanos.

2. **Subraya** las reglas y las leyes que establecen el orden y hacen que las cosas sean justas.

Las reglas y las leyes en la escuela

Las reglas y las leyes en la escuela son importantes. Nos ayudan a llevarnos bien con los demás. Somos amables con las personas. No tocamos las cosas de los demás. Escuchamos a nuestros amigos cuando hablan. Decimos "por favor" y "gracias".

Compartimos la computadora. Nos turnamos en el patio de recreo. Trabajamos juntos en clase. Entre todos, también ayudamos a limpiar.

3. **Escribe** una regla que te ayuda a manejar los conflictos y llevarte bien con tus compañeros.

Las reglas y las leyes en la comunidad

Las reglas y las leyes también son importantes en la comunidad.

Una ley dice que los niños deben ir a la escuela. Esta ley se asegura de que todos los niños reciban educación. Otra ley dice que hay que poner la basura en su lugar. Esta ley mantiene limpia la comunidad.

Tenemos reglas y leyes que nos protegen, o proporcionan seguridad. Usamos casco cuando montamos en bicicleta. Los carros deben detenerse ante las señales de STOP.

Las reglas y las leyes también establecen el orden. Esas reglas y leyes pueden cambiar de un lugar a otro. Algunas comunidades tienen leyes que dicen que debes pasear a los perros con correa.

4. **Subraya** las reglas y las leyes que nos protegen.

TEKS 11.A, 11.B, 18.A, 18.B

5. ● **Comparar y contrastar** ¿Cuál es una regla que sigues en el hogar y en la escuela?

6. ❓ Una regla o una ley que sigo en mi comunidad es

mi Historia: Ideas

7. **Haz dos dibujos** en una hoja aparte. Dibújate siguiendo una regla. Muestra qué pasaría si nadie siguiera esa regla. **Escribe** la regla abajo de los dibujos.

8. **Habla** con un compañero. Nombren reglas y leyes en el hogar, en la escuela y en la comunidad. **Expliquen** el propósito de cada una.

SAVVAS realize Conéctate en línea a tu lección digital interactiva.

31

Mis líderes

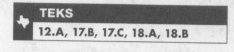

Encierra en un círculo a las personas que están a cargo.

TEKS
12.A, 17.B, 17.C, 18.A, 18.B

Un **líder** es una persona que representa la autoridad. Un líder ayuda a las personas a decidir qué hacer. Los líderes pueden hacer reglas. También se aseguran de que nosotros sigamos las reglas.

Los líderes nos ayudan en el hogar, en la escuela y en la comunidad. Un líder de la escuela es el director.

1. **Completa** el espacio en blanco usando los detalles de arriba como ayuda.

_____

El _____

hace las reglas de la escuela.

Los líderes en el hogar

Tenemos líderes en el hogar. Pueden ser las madres y los padres. Pueden ser los abuelos. Los hermanos y las hermanas mayores también pueden ser líderes.

Los líderes de tu hogar te protegen. Te mantienen sano. Hacen reglas para que todos se lleven bien.

2. ◉ **Hechos y opiniones** **Lee** las oraciones de abajo. (Encierra) en un círculo la opinión.

Un abuelo es un líder.

Los abuelos son los mejores líderes.

Los líderes en la escuela

El director y los maestros son líderes de la escuela. Te ayudan a seguir las reglas. Otros líderes de la escuela te protegen. Ellos se aseguran de que sigas las reglas en el autobús y a la hora del almuerzo. Los entrenadores también se aseguran de que sigas las reglas.

Tú también puedes ser un líder. Una manera de serlo es hacer un trabajo de la clase. Otra manera es ser el capitán de un equipo.

Los líderes en la comunidad

Muchos líderes de la comunidad protegen a las personas. Ellos se aseguran de que todos sigamos las leyes. Los policías se aseguran de que paremos en la luz roja. Los bomberos protegen a las personas de los incendios. Los doctores ayudan a los enfermos a sentirse mejor.

3. Completa el espacio en blanco.

Tenemos líderes en el hogar, en la escuela
_____

y en la _____

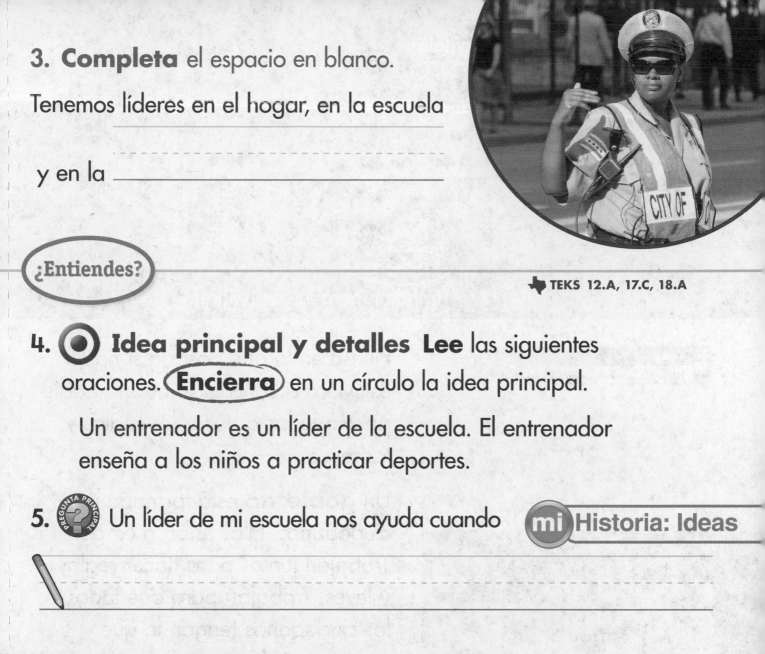

4. ⊙ **Idea principal y detalles** **Lee** las siguientes oraciones. (**Encierra**) en un círculo la idea principal.

Un entrenador es un líder de la escuela. El entrenador enseña a los niños a practicar deportes.

5. ❓ Un líder de mi escuela nos ayuda cuando   **mi** Historia: Ideas

_____
_____

6. Haz una tabla en una hoja aparte. Escribe *Hogar, Escuela* y *Comunidad* en la parte de arriba. **Explica** cómo nos ayudan los líderes en cada lugar.

7. Habla con un compañero. Túrnense para identificar personas que representan la autoridad y sus responsabilidades.

Mi gobierno

¡Imagínalo!

Encierra en un círculo a las personas que trabajan para la comunidad.

TEKS
12.B, 12.C, 13.A, 14.D, 17.B, 18.B

Piensa en lo que pasaría si nadie estuviera a cargo. No habría nadie para ayudar a hacer las reglas y las leyes.

Un **gobierno** está formado por ciudadanos. Ellos están a cargo. Trabajan juntos para hacer reglas y leyes. Trabajan para que todos los ciudadanos tengan lo que necesitan.

Tenemos tres clases de gobierno. Tenemos gobiernos para la comunidad, para el estado y para el país (o nación).

Los líderes del gobierno se reúnen en una comunidad.

36

Aprenderé cómo nos ayuda el gobierno.

Vocabulario
....

gobierno   gobernador
alcalde   presidente
             votar

El gobierno de la comunidad

En muchas comunidades, el líder es el **alcalde.** Otros funcionarios u oficiales públicos trabajan con el alcalde en el gobierno de la comunidad.

Estos líderes hacen reglas y leyes para la comunidad. Se aseguran de que haya policías y bomberos. Se aseguran de que se recoja la basura.

1. ◎ **Hechos y opiniones**

    <u>Subraya</u> los hechos que describen el papel de los funcionarios públicos en la comunidad.

SAVVAS realize. Conéctate en línea a tu lección digital interactiva.

37

Capitolio de Austin, Texas

El gobierno del estado

El líder de un estado es el **gobernador.** El gobernador trabaja con otros líderes en el gobierno del estado.

Estos líderes ayudan a que todo funcione bien en el estado. Hacen reglas y leyes para el estado. Deciden en qué gastará el dinero el estado.

Los líderes de un estado se preocupan por las personas de ese estado. Se aseguran de que haya escuelas en el estado. Se aseguran de que las carreteras, los puentes y los túneles sean seguros. También dan dinero a los parques estatales.

2. **Escribe** una oración. Habla sobre el papel de los líderes de un estado.

_____

_____

_____

_____

El gobierno nacional

Nuestro país es una república constitucional. Tiene un plan de gobierno llamado Constitución. Los ciudadanos eligen líderes para que los representen en el gobierno. Esos líderes siguen el plan.

Presidente Barack Obama

El líder de nuestro país es el **presidente.** El presidente y los demás funcionarios públicos trabajan para todos los ciudadanos de nuestro país. Hacen las leyes de nuestro país.

El gobierno nacional se asegura de que todas las personas reciban un trato justo e igual. Protege a los ciudadanos. Se asegura de que el correo llegue a su destino.

3. **Completa** el espacio en blanco. Usa los detalles de arriba como ayuda.

Nuestro país es una _____

_____ .

Los ciudadanos y el gobierno

Los ciudadanos somos parte de nuestro gobierno. Ayudamos a sostener, o mantener, la república constitucional. Hacemos esto cuando votamos. **Votar** es escoger una opción que se cuenta. Cada persona tiene un voto. Votar es una manera de que los grupos tomen decisiones.

El voto es un derecho que tienen los ciudadanos de nuestro país. Votar también es una manera de demostrar que somos buenos ciudadanos.

Los ciudadanos votan para elegir a los líderes. Nuestros líderes actúan por nosotros. Los ciudadanos le piden a los líderes que trabajen mucho. También les pedimos que cumplan con sus promesas.

A veces, los ciudadanos votan para decidir sobre problemas importantes. Es nuestra responsabilidad informarnos sobre esos problemas. Así podemos tomar buenas decisiones al votar.

4. **Subraya** las cosas que les pedimos a los líderes que hagan.

5. ◉ **Causa y efecto** ¿Cómo eligen los ciudadanos a los líderes en nuestro país?

_____

- -

6. ? **Explica cómo trabajan para nosotros el presidente y los demás funcionarios públicos.**

mi Historia: Ideas

_____

- -

_____

7. **Haz un dibujo** en una hoja aparte. Muestra cómo los ciudadanos toman una decisión sobre sus líderes. **Habla** sobre tu dibujo.

8. ¿Qué papel cumplen los buenos ciudadanos en el mantenimiento de una república constitucional?

_____

- -

_____

SAVVAS realize
Conéctate en línea a tu lección digital interactiva.

41

Hechos y opiniones

Algunas oraciones dan hechos. Un hecho es verdadero.

Algunas oraciones dan opiniones. Una opinión dice cómo se siente alguien. Muchas veces las opiniones empiezan con la palabra "Creo". Cuando dices "creo", expresas tus ideas oralmente basándote en tus conocimientos y tus experiencias.

Hecho   La Casa Blanca está en Washington, D.C.

Opinión   Creo que la Casa Blanca es el edificio más hermoso de Washington, D.C.

TEKS

ES 17.B Obtener información sobre algún tópico,
utilizando una variedad de fuentes visuales.
SLA 4.B Localizar hechos y detalles de las historias y
de otros textos.

¡Inténtalo!

1. **Mira** la foto. **Lee** las oraciones que están debajo
   de ella.

Creo que los bomberos tienen el trabajo más importante.

Los bomberos trabajan juntos para apagar incendios.

2. **Subraya** la oración que da un hecho.

3. **Encierra** en un círculo la oración que da una opinión.

Los símbolos de mi país

¡Imagínalo!

Encierra en un círculo la bandera de nuestro país.

El Tío Sam es un símbolo de nuestro país.

Nuestro país se llama Estados Unidos de América. Nuestra bandera roja, blanca y azul es un símbolo patrio, o patriótico, de nuestro país. Un **símbolo** es algo que representa otra cosa. Nuestro país tiene muchos símbolos.

1. ⊙ **Hechos y opiniones**
Lee las siguientes oraciones. **Encierra** en un círculo la opinión.

La bandera de los Estados Unidos es un símbolo patrio de nuestro país.

El rojo, el blanco y el azul son los mejores colores para una bandera.

DESCIFRA LA PREGUNTA PRINCIPAL Aprenderé los símbolos que representan nuestro país.

Vocabulario
símbolo

Símbolos estadounidenses

La Estatua de la Libertad representa esperanza y libertad. La Campana de la Libertad también representa libertad. La Casa Blanca representa el gobierno de nuestro país. Allí vive y trabaja el presidente. "En Dios confiamos" es un lema, o frase. Nos recuerda lo que es importante para nuestro país.

2. **Completa** el espacio en blanco. **Explica** los símbolos patrios nacionales como la bandera de los Estados Unidos, la Campana de la Libertad y la Estatua de la Libertad.

Estos símbolos representan

_____

_____

Estatua de la Libertad

Campana de la Libertad

Francis Scott Key

Canciones patrióticas

Cantamos canciones para mostrar que queremos a nuestro país. La canción *"The Star-Spangled Banner"* es un himno. Es la canción de nuestro país. También es otra manera de llamar a la bandera de los Estados Unidos.

La canción fue escrita por Francis Scott Key. Él era un buen ciudadano que contribuyó a nuestra identidad nacional. Francis Scott Key escribió sobre la libertad de nuestro país. También escribió sobre la valentía del pueblo.

Cantar el himno nacional es una costumbre patriótica. Refleja el individualismo y la libertad estadounidenses. Lo cantamos en muchos lugares. Lo cantamos en la escuela. Lo cantamos en encuentros deportivos. También lo cantamos en celebraciones patrióticas y días festivos nacionales.

3. **Subraya** nuestro himno nacional. **Encierra** en un círculo quién lo escribió.

Juramento a la bandera

Cuando decimos el Juramento a la bandera, honramos a nuestro país. Un juramento es una promesa. Miramos de frente la bandera y le prometemos lealtad. También demostramos que respetamos nuestra bandera y nuestro país.

4. **Completa** el espacio en blanco. Usa los detalles de arriba como ayuda.

   El Juramento a la bandera es

   una promesa _____

   _____

5. Párate frente a la bandera. Recita el Juramento a la bandera.

Documentos de los Estados Unidos

La Declaración de Independencia es un documento importante. Fue escrito por líderes que vivieron hace muchos años. Ayudó a que nuestro país fuera libre.

Los líderes escribieron la Constitución de los Estados Unidos cuando nuestro país era nuevo. La Constitución nombra los derechos y las libertades de las personas en nuestro país.

El 17 de septiembre de cada año se celebra el Día de la Constitución. Ese día, hace mucho tiempo, los líderes firmaron la Constitución. Cada año celebramos la libertad y el individualismo estadounidenses en ese día especial.

6. **Subraya** qué celebramos el Día de la Constitución.

Declaración de Independencia

Constitución de los Estados Unidos

TEKS 14.A, 14.E, 18.A, 18.B

7. **Hechos y opiniones** **Lee** la siguiente oración.
Escribe si es un hecho o una opinión.
La Estatua de la Libertad es un símbolo estadounidense.

8. Soy un buen ciudadano en la comunidad cuando

mi Historia: Ideas

9. **Habla** con un compañero sobre las costumbres patrióticas y las celebraciones. **Comenta** cómo reflejan la libertad y el individualismo estadounidenses.

10. **Haz un dibujo** en una hoja aparte. Muestra cuánto te importa nuestro país. **Escribe** una oración que explique tu dibujo.

Lección 1 TEKS 13.A

1. ¿Cuál es una responsabilidad diaria de un buen ciudadano en una comunidad?

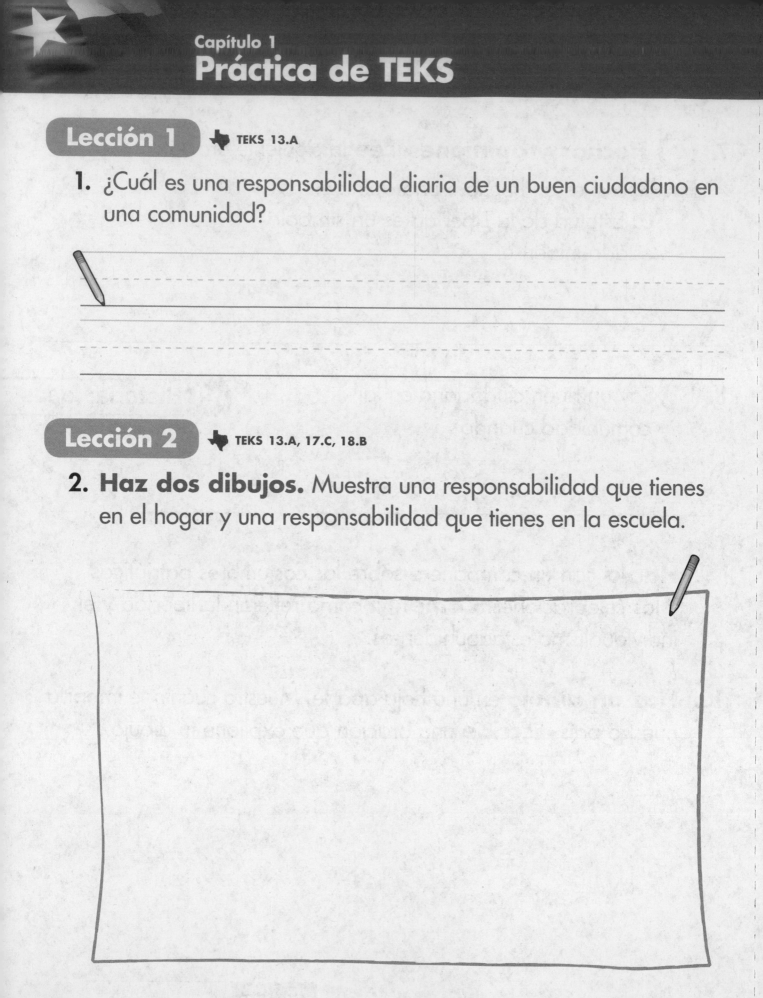

Lección 2 TEKS 13.A, 17.C, 18.B

2. Haz dos dibujos. Muestra una responsabilidad que tienes en el hogar y una responsabilidad que tienes en la escuela.

3. **Lee** la pregunta y (**encierra**) en un círculo la mejor respuesta.

¿Qué regla o ley te ayuda a manejar conflictos en la escuela?

A   lavarse las manos antes de comer

B   turnarse en el columpio y el tobogán

C   poner la basura en el basurero

D   apagar la luz al irse de un lugar

4. **Mira** las palabras del recuadro. **Subraya** los líderes en el hogar. (**Encierra**) en un círculo los líderes en la escuela.

director	abuelo	maestro
madre	hermana mayor	chofer de autobús
padre	guardia peatonal	bibliotecario

Lección 5 🔹 TEKS 12.B

5. ◎ **Hechos y opiniones** Lee las oraciones sobre el papel de los funcionarios públicos. **Subraya** el hecho. **Encierra** en un círculo la opinión.

A. Creo que nuestro alcalde es un buen líder.

B. El presidente es el líder de nuestro país.

Lección 6 🔹 TEKS 14.B, 14.C

6. **Completa** la oración. Usa una palabra del recuadro.

| juramento | lema | himno |

"En Dios confiamos" es un _____

Conéctate en línea para escribir e ilustrar tu **myStory Book** usando **miHistoria: Ideas** de este capítulo.

PREGUNTA PRINCIPAL

¿Cómo coopera mejor la gente?

TEKS
ES 13.A
SLA 17

En este capítulo aprendiste qué es ser un buen ciudadano.

Dibuja personas de tu comunidad haciendo cosas que hacen los buenos ciudadanos.

SAVVAS realize. Conéctate en línea a tu lección digital interactiva.

53

El trabajo en la comunidad

mi Historia: ¡Despeguemos!

PREGUNTA PRINCIPAL

¿Cómo obtienen las personas lo que necesitan?

Haz un dibujo en el que estés haciendo ✏ un trabajo en la escuela o en tu hogar.

mi Historia: Video

⭐ Conocimiento y destrezas esenciales de Texas

7.A Describir cómo las familias satisfacen sus necesidades humanas básicas.

7.B Describir las similitudes y las diferencias de cómo las familias satisfacen sus necesidades humanas básicas.

8.A Identificar ejemplos de bienes y servicios en el hogar, en la escuela y en la comunidad.

8.B Identificar cómo las personas intercambian bienes y servicios.

8.C Identificar el papel que cumplen los mercados en el intercambio de bienes y servicios.

9.A Identificar ejemplos de personas que desean más de lo que pueden tener.

9.B Explicar por qué desear más de lo que se puede tener requiere que las personas tengan que elegir.

9.C Identificar ejemplos de las opciones a las que optan las familias cuando compran bienes y servicios.

10.A Describir los componentes de los diferentes trabajos y las características de un trabajo bien hecho.

10.B Describir cómo los trabajos especializados contribuyen a la producción de bienes y servicios.

17.B Obtener información sobre algún tópico, utilizando una variedad de fuentes visuales tales como imágenes, símbolos, comunicación electrónica de los diferentes medios, mapas, literatura y artefactos.

17.C Ordenar en secuencia y categorizar la información.

18.A Expresar sus ideas oralmente basándose en el conocimiento y las experiencias.

18.B Crear e interpretar materiales visuales y escritos.

19.B Usar un proceso de solución de problemas para identificar una situación que requiere una decisión, reunir información, generar opciones, predecir los resultados, tomar acción para implementar una decisión y reflexionar sobre la efectividad de la decisión.

🎵 Empecemos con una canción

Así seré

Canta con la melodía de "Over the River and Through the Woods".

¡Cómo yo quiero
a los bomberos
de mi comunidad!
El trabajo en equipo
lo hacen muy bien,
cada uno en su lugar.

Cargan mangueras,
suben escaleras.
¿Será que un día seré
responsable como un bombero?
Sí, compañeros, así seré.

necesidades

deseos

opción

escaso

bienes

Identifica y **encierra** en un círculo ejemplos de estas palabras en la ilustración.

servicios

productor

consumidor

mercado

trabajo

Lo que necesitamos, lo que deseamos

1

2

Mira los lugares que tienen un número cada uno.

TEKS
7.A, 7.B, 17.B, 17.C, 18.A, 18.B

Hay cosas que las personas deben tener para vivir. Hay cosas que a las personas les gusta tener.

Las personas tienen necesidades

Las **necesidades** son cosas que debemos tener para vivir. La alimentación, el agua y la vestimenta, o ropa, son necesidades humanas básicas. Bebemos agua. Las familias cultivan o compran alimentos para comer. Hacemos o compramos ropa y **viviendas,** o lugares donde vivir.

1. **Mira** la imagen de esta página. **Encierra** en un círculo las cosas que son necesidades.

DESCIFRA LA PREGUNTA PRINCIPAL

Aprenderé cuál es la diferencia entre las necesidades y los deseos.

Vocabulario

necesidades   deseos

vivienda   dinero

Escribe el número del lugar donde se usan estos artículos.

Las personas tienen deseos

Los **deseos** son cosas que nos gustaría tener. No necesitamos esas cosas para vivir. Un televisor es un deseo. Es divertido ver televisión. No es algo que necesitamos para vivir.

2. **Piensa** en una necesidad y un deseo que no están en la tabla. **Escribe** la necesidad y el deseo donde correspondan en la tabla.

Las personas tienen necesidades y deseos	
Necesidades	**Deseos**
alimentación	bicicleta
vivienda	teléfono

SAVVAS realize™   Conéctate en línea a tu lección digital interactiva.

59

Satisfacer necesidades y deseos

Todas las familias tienen las mismas necesidades humanas básicas. Necesitan agua y alimento. Necesitan ropa y vivienda. Las personas tienen distintos deseos. Desean tener juguetes o carros u otras cosas.

Las familias satisfacen sus necesidades de distintas maneras. Algunas cultivan su propio alimento. Otras hacen su propia ropa. Algunas familias construyen sus propias viviendas. Otras familias contratan personas que las construyen.

La mayoría de las personas usan dinero para comprar las cosas que necesitan y las que desean. El **dinero** son las monedas o los billetes que se usan para comprar cosas. Las personas trabajan para ganar dinero.

3. ◉ **Causa y efecto Lee** las siguientes oraciones. **Encierra** en un círculo la causa.

Las personas necesitan dinero para comprar cosas.

Las personas ganan dinero cuando trabajan.

🔺 **TEKS 7.A, 7.B, 17.C**

4. ◉ **Hechos y opiniones Lee** la siguiente oración. **Escribe** si es un hecho o una opinión.

Todos necesitamos alimentos para vivir.

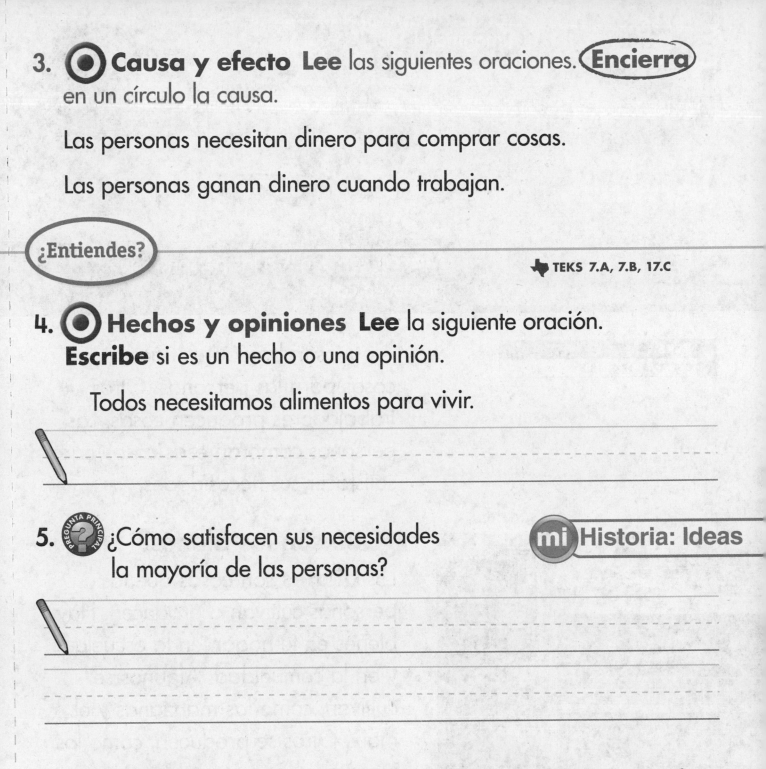

_____

- -

5. ❓ ¿Cómo satisfacen sus necesidades la mayoría de las personas?

mi Historia: Ideas

_____

_____

- -

_____

6. Haz dibujos en hojas separadas. Muestra maneras en que las familias satisfacen las necesidades humanas básicas. **Habla** con un compañero sobre tus dibujos. **Describe** las similitudes y las diferencias de cómo las familias satisfacen sus necesidades.

Bienes y servicios

¡Imagínalo!

Marca con una *X* a las personas que producen cosas.

TEKS
8.A, 17.B, 17.C, 18.B

Algunos trabajadores hacen cosas para las personas. Otros trabajadores producen cosas. Las personas compran esas cosas para satisfacer sus necesidades.

¿Qué son los bienes?

Los **bienes** son cosas que las personas cultivan o producen. Hay bienes en tu hogar, en la escuela y en la comunidad. Algunos se cultivan, como las manzanas y el maíz. Otros se producen, como los juguetes y las camas. Usamos estos bienes en el hogar.

1. **Encierra** en un círculo los bienes del hogar que hay en el texto de arriba.

Aprenderé qué son los bienes y los servicios.

Vocabulario

bienes

servicios

En la escuela también hay bienes. Los escritorios y el papel son ejemplos de bienes que usas en la escuela. Los libros de la biblioteca, los bancos de los parques y los carros son ejemplos de bienes que puedes hallar en tu comunidad.

2. ◉ **Causa y efecto** **Lee** las siguientes oraciones. **Subraya** el efecto.

A los niños les gusta jugar con juguetes y juegos en el hogar y en la escuela.

Los trabajadores producen juguetes para los niños.

¿Qué son los servicios?

Los **servicios** son trabajos que las personas hacen para ayudar a otros. Algunos trabajadores que prestan servicios ayudan a las personas en su hogar. Los jardineros cortan el césped. Las enfermeras cuidan personas enfermas en sus hogares.

Las escuelas tienen trabajadores que prestan servicios. Los maestros te ayudan a aprender. Los choferes de autobús te llevan a la escuela y a tu casa. Los entrenadores te enseñan a jugar deportes.

Las comunidades también tienen trabajadores de servicios. La policía y los bomberos te protegen. Los carteros llevan el correo a tu casa.

3. Nombra a un trabajador de servicios. **Escribe** qué hace esa persona.

4. ⦿ **Comparar y contrastar Escribe** dos bienes y dos servicios en la tabla.

Tipos de bienes y servicios	
Bienes	**Servicios**

5. ¿Qué tipo de servicio te gustaría hacer para otras personas?

mi Historia: Ideas

6. Haz una tabla en una hoja aparte. Arriba, escribe las palabras *Hogar, Escuela* y *Comunidad*. **Identifica** y **escribe** ejemplos de bienes y servicios que las personas usan en cada lugar.

SAVVAS realize. Conéctate en línea a tu lección digital interactiva.

65

Tomar decisiones

Tomar una decisión es escoger entre dos o más cosas. Mira la ilustración. Lee los pasos. Piensa en cómo los niños toman una decisión.

1. Identifica una decisión que se deba tomar.

2. Reúne información sobre la decisión.

3. Haz una lista de las opciones.

4. Pregúntate: "¿Cuál de las opciones será la mejor?".

5. Actúa y toma una decisión.

6. Piensa si tu decisión fue buena.

TEKS

ES 17.B Obtener información utilizando fuentes visuales.
ES 19.B Usar un proceso de solución de problemas para identificar una situación que requiere una decisión, reunir información, generar opciones, predecir los resultados, tomar acción para implementar una decisión y reflexionar sobre la efectividad de la decisión.
SLA 14.D Usar las características de un texto (ej., ilustraciones) para localizar información específica en el texto.

1. **Mira** la ilustración. **Nombra** una decisión que debe tomarse.

2. **Haz un dibujo.** Muestra cómo los niños pueden tomar una decisión. **Di** por qué esa decisión es la mejor.

3. **Practica** cómo se vota para tomar una decisión. **Escoge** un nombre para una mascota de la clase.

 Conéctate en línea a tu lección digital interactiva.

¡Imagínalo!

¿Por qué escogemos una opción?

¿Qué plato escogerías para comer?
Marca tu opción con una X.

TEKS
9.A, 9.B, 9.C, 17.B, 18.A, 18.B

A veces, deseamos más de lo que podemos tener. Entonces, tenemos que escoger una opción. Escoger una **opción** es elegir entre dos o más cosas. Elegimos una cosa y dejamos la otra o las otras.

1. **Mira** las imágenes. ¿Qué alimento crees que sería una buena opción para la cena? **Encierra** en un círculo ese alimento.

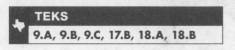

$2

$4

$7

DESCIFRA LA PREGUNTA PRINCIPAL

Aprenderé que las personas necesitan escoger una opción cuando algo es escaso.

Vocabulario

opción

escaso

Escribe por qué lo escogiste.

Escogemos qué comprar

A veces no hay suficiente cantidad de una cosa. Cuando no hay suficiente cantidad de algo, decimos que es **escaso.** El dinero puede ser escaso. Las familias pueden desear más de lo que pueden tener. Es posible que no tengan dinero suficiente para comprar todo lo que desean. Entonces deben escoger una opción. Mira la foto. Esta familia escogerá comprar uno de los dos bienes.

2. ◉ **Causa y efecto Subraya** en el texto de arriba las palabras que indican por qué las familias tienen que escoger una opción.

Escogemos servicios

Las personas pagan para obtener algunos servicios. A veces tenemos que escoger entre dos servicios. Quizá quieras tomar clases de danza y clases de natación. No puedes hacer las dos cosas si son al mismo tiempo. Es posible que tu familia no tenga el dinero para pagar ambas clases. Probablemente debas escoger una opción.

3. **Subraya** en el texto de arriba las palabras que indican por qué debes escoger entre distintos servicios.

4. ⊙ **Causa y efecto** Lee las siguientes oraciones.
   Subraya el efecto.

   Tres niños quieren manzanas de merienda. Hay una sola
   manzana pequeña. Dos niños deben escoger otra merienda.

5. Piensa en alguna vez en que tuviste
   que escoger entre dos opciones.
   ¿Cuál escogiste? ¿Cómo lo decidiste?

   mi Historia: Ideas

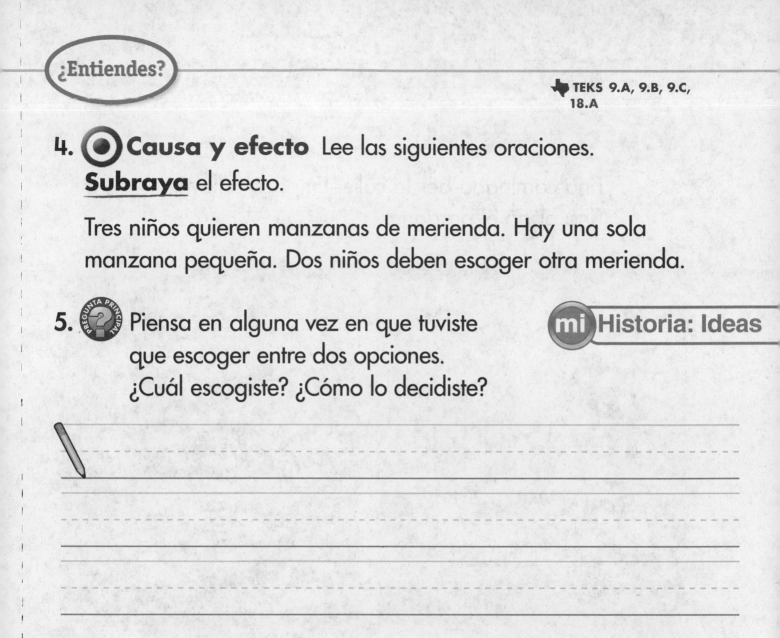

6. **Haz un dibujo** en una hoja aparte. Muestra dos bienes o
   servicios que deseas tener. No puedes tener ambos. **Encierra**
   en un círculo la opción que escoges. **Explica** por qué escogiste
   esa opción.

7. **Habla** con un compañero. **Comenta** por qué desear más
   de lo que se puede tener requiere que las personas tengan que
   escoger.

Causa y efecto

Tina caminaba por la calle. Empezó a llover.
Tina abrió el paraguas.

causa   efecto

Una causa es lo que hace que algo ocurra. ¿Cuál
es la causa de que Tina abriera el paraguas?
Empezó a llover.

Un efecto es lo que ocurre. ¿Qué efecto tuvo la
lluvia? Tina abrió el paraguas.

TEKS

SLA 4.B Hacer preguntas relevantes, buscar clarificación y localizar hechos y detalles de las historias y de otros textos.
SLA 14.B Identificar los detalles o hechos importantes en el texto.

¡Inténtalo!

Lee las oraciones. Luego, **mira** las ilustraciones.

Travis hizo una torre de bloques. Su perro chocó contra la torre. La torre se cayó.

1. ¿Por qué se cayó la torre? **Escribe** la causa.

_____

_____

2. ¿Qué le pasó a la torre? **Escribe** el efecto.

_____

_____

Comprar y vender

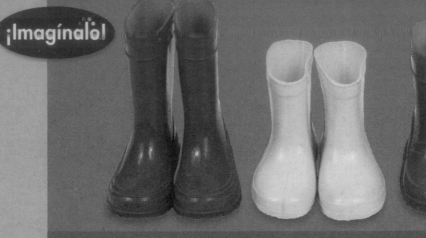

Mira las botas.

TEKS
8.B, 8.C, 17.B, 18.A, 18.B

Las personas obtienen bienes y servicios de distintas maneras. Una de esas maneras es intercambiarlos. **Intercambiar** es dar una cosa para obtener otra. Podemos intercambiar los bienes que producimos. Podemos intercambiar servicios. También podemos intercambiar dinero por bienes y servicios.

1. ⊙ **Idea principal y detalles**

Encierra en un círculo la idea principal del texto de arriba.

TOMATES CASEROS

Limonada
FRESCA

74

Dibuja un lugar donde podrías comprar las botas.

Productores y consumidores

Un **productor** cultiva o produce bienes. Los panaderos son productores. Los panaderos hacen pan. Los productores pueden vender los bienes que producen.

Un **consumidor** usa bienes y servicios. Los consumidores compran el pan que hacen los panaderos. Los productores también pueden ser consumidores. Compran las cosas que necesitan para producir bienes. Los panaderos compran harina para hacer pan.

2. **Escribe** qué hace un productor.

_____

_ _

Los mercados

Los productores llevan bienes y servicios a un mercado. Un **mercado** es un lugar donde se venden bienes. En un mercado también se pueden vender servicios. Los consumidores compran bienes y servicios allí. En los mercados hay alimentos, ropa y juguetes.

3. (Encierra) en un círculo los bienes de la imagen que se venden en los mercados.

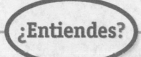
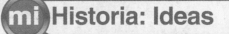
4. **Idea principal y detalles** **Lee** las oraciones. Encierra en un círculo la idea principal.

> Los productores venden bienes y servicios en los mercados. Los panaderos son productores. Producen bienes. Venden sus bienes en los mercados.

5. Piensa en un trabajo que te gustaría hacer como productor. ¿Qué producirías?

mi Historia: Ideas

_____

_____

_____

_____

6. **Habla** con un compañero. **Comenta** el papel que cumplen los mercados en el intercambio de bienes y servicios.

7. **Haz un dibujo** en una hoja aparte. Muestra cómo las personas intercambian bienes y servicios. **Habla** sobre tu dibujo.

Gastar y ahorrar

Marca con una X cada imagen que muestra qué puedes hacer con el dinero.

TEKS
7.A, 7.B, 8.B, 9.A, 9.B, 9.C, 17.B, 18.A, 18.B

Hace mucho tiempo, las familias satisfacían sus necesidades humanas básicas de diferentes maneras. Las personas intercambiaban bienes y servicios. Una persona que reparaba sillas necesitaba huevos. Una persona que tenía muchos huevos tenía una silla rota. Intercambiaban un bien por un servicio. Así, las dos obtenían lo que necesitaban y querían.

1. **Mira** el dibujo de los niños con sus calcomanías.

   Encierra en un círculo los bienes que intercambian.

Usar dinero

Las familias satisfacen sus necesidades intercambiando cosas. Algunas familias tienen bienes o servicios para intercambiar. La mayoría de las familias usan dinero para intercambiar. Intercambian dinero por bienes. Intercambian dinero por servicios. Las personas usan dinero para comprar lo que necesitan y desean.

2. **Subraya** palabras que indican similitudes y diferencias de cómo las familias satisfacen las necesidades humanas básicas.

SAVVAS realize · · ·   Conéctate en línea a tu lección digital interactiva.

79

Ahorrar dinero

Las personas pueden ahorrar dinero. **Ahorrar** dinero quiere decir guardarlo para más tarde. Las personas ahorran hasta tener suficiente dinero para comprar lo que desean y necesitan. La mayoría de las personas ahorran dinero en un lugar seguro llamado banco.

Algunas personas piden dinero prestado a un banco. **Pedir prestado** quiere decir tomar algo y prometer devolverlo. Las personas pueden pedir dinero prestado para comprar lo que desean y necesitan.

Bea desea más de lo que puede tener. Desea una bicicleta nueva. Bea escoge una opción. Usa su bicicleta vieja. Mientras tanto, gana dinero. Bea ahorra dinero hasta que tiene suficiente. ¡Entonces compra la bicicleta que desea!

3. ◉ **Causa y efecto** (Encierra) en un círculo la razón por la que Bea ahorra dinero.

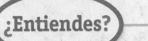
TEKS 7.A, 7.B, 9.A, 9.B, 9.C, 18.A, 18.B

4. ⊙ **Hechos y opiniones** **Lee** la siguiente oración.
Escribe si es un hecho o una opinión.

Creo que es mejor intercambiar con bienes que con dinero.

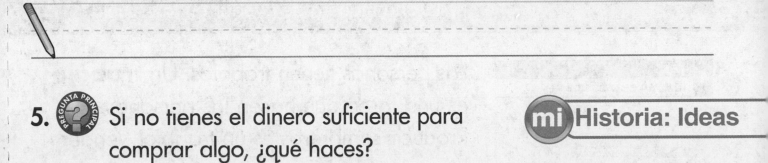

5. ❓ Si no tienes el dinero suficiente para comprar algo, ¿qué haces?

mi Historia: Ideas

6. **Haz un dibujo** en una hoja aparte. Muestra un ejemplo de opciones que escogen las familias cuando compran bienes y servicios. **Cuenta** a un compañero sobre tu dibujo.

7. **Habla** con un compañero. **Comenta** ejemplos de personas que desean más de lo que pueden tener y las opciones que deben escoger.

 SAVVAS realize. Conéctate en línea a tu lección digital interactiva.

81

Los trabajos que hacen las personas

¡Imagínalo!

Sue alimenta a los peces del salón de clase. Es una manera de ayudar en la escuela.

TEKS
10.A, 10.B, 17.B, 18.B

Las personas tienen trabajos. Un **trabajo** es una tarea que hacen las personas. Producir sombreros es un trabajo. Vender bienes en una tienda es un trabajo. Las personas trabajan mucho para hacer bien su trabajo.

Muchas personas trabajan para ganar dinero. Otras personas trabajan solo para ayudar a otros. Esas personas no ganan dinero por hacer su trabajo.

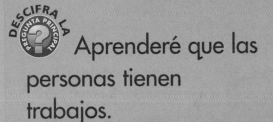

Aprenderé que las personas tienen trabajos.

Vocabulario

trabajo

Haz un dibujo para mostrar una manera en que ayudas en el hogar o en la escuela.

Trabajos en el hogar

Las personas hacen trabajos en el hogar para ayudar a su familia. Limpiar tu cuarto es un trabajo. Cuidar de una mascota es otro trabajo. Cuando hacemos un buen trabajo estamos contentos. ¡Y otras personas también se ponen contentas!

Algunos trabajos que las personas hacen en su hogar les permiten ganar dinero. Las personas pueden hacer cosas para vender. Algunas personas cosen ropa. Venden la ropa para ganar dinero.

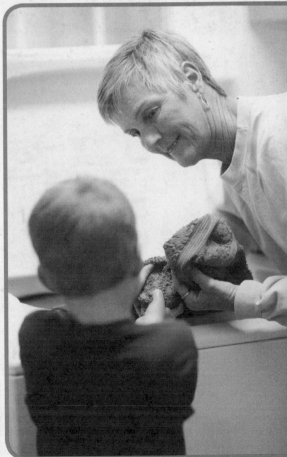

1. ◉ **Idea principal y detalles**

(Encierra) en un círculo la idea principal de arriba. **Subraya** dos detalles.

Trabajos en la escuela

Las personas hacen trabajos en la escuela. Quieren ayudar a los niños. Trabajan mucho para hacer bien su trabajo. Los maestros y los directores ayudan a los niños a aprender. Los cocineros trabajan para alimentar a los niños. Los choferes de autobús llevan a los niños a la escuela. Los guardias peatonales ayudan a los niños a cruzar la calle sin peligro. Todos ellos producen servicios.

Los niños también trabajan mucho en la escuela. Los niños escuchan. Hacen preguntas. Aprenden. Quieren hacer su mejor esfuerzo.

2. **Subraya** los trabajadores que prestan servicios en la escuela.

Distintos trabajos

Las personas hacen trabajos distintos. Para algunos trabajos, hacen falta muchas personas. Hacen falta muchas personas para fabricar un carro o construir una casa. También se necesitan muchas personas para construir una escuela, un centro comercial o un aeropuerto.

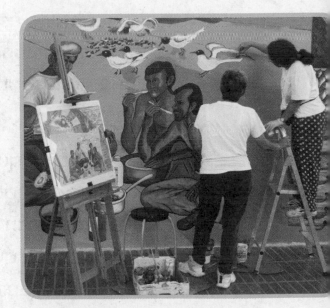

Algunas personas usan herramientas para hacer sus trabajos. Las herramientas de los pintores son las brochas. Los constructores usan martillos. Los panaderos usan batidoras y rodillos. Los escritores usan lápiz y papel. También usan computadoras.

3. **Mira** los trabajadores de las fotos. **Encierra** en un círculo a las personas que usan herramientas.

Producir bienes y servicios

Hay trabajos especializados que producen bienes. Algunas personas fabrican juguetes. Cada trabajador fabrica una parte del juguete. Todos contribuyen en su producción.

Hay trabajos que producen servicios. Lavar carros es un servicio. Algunas personas lavan los carros. Otras personas secan los carros con paños limpios. ¡También hay personas que bañan y secan perros! Se llaman peluqueros caninos.

4. **Completa** los espacios en blanco usando los detalles de arriba.

Algunas personas que producen bienes

Algunas personas que producen servicios

5. ◉ **Causa y efecto Lee** las siguientes oraciones. **Encierra**

en un círculo la causa. **Subraya** el efecto.

La mayoría de las personas tienen trabajo.
Están contentas cuando hacen bien su trabajo.

6. **PREGUNTA PRINCIPAL** ¿Qué trabajos tienen las personas   **mi** Historia: Ideas
en tu comunidad?

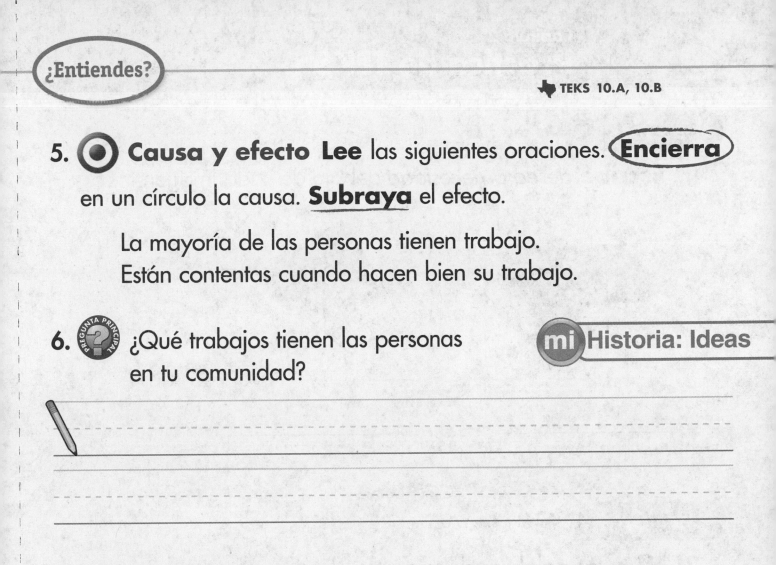

7. **Dibuja** un trabajo que haces bien. Usa una hoja aparte.
Escribe una oración sobre ese trabajo.

8. **Habla** con un compañero. Túrnense para nombrar bienes
y servicios. **Describe** cómo los trabajos especializados
contribuyen en la producción de cada bien o servicio.

1. Escribe *deseo* o *necesidad* debajo de cada imagen.

_____   _____

_____   _____

_____   _____

2. Mira las palabras del recuadro. Cada una es un bien. **Escribe** las palabras en la columna de la tabla que corresponde.

toboganes juguetes mochilas camas carros escritorios

Hogar	Escuela	Comunidad

3. **Encierra** en un círculo tres artículos que las familias necesitan y deben escoger primero cuando el dinero que tienen es escaso.

ropa   juguetes   boleto para el cine

bicicleta   alimentos   muñeca

televisor   computadora   vivienda

4. ¿Qué foto muestra un intercambio de bienes entre personas? **Encierra** en un círculo la foto.

Lección 5 TEKS 9.B, 9.C

5. ◉ **Causa y efecto Lee** las siguientes oraciones. (**Encierra**) en un círculo la causa. **Subraya** el efecto.

Vijay quiere comprar una pelota de básquetbol y unos tenis nuevos. Escoge una opción. Vijay gana dinero y compra una pelota nueva.

Lección 6 TEKS 10.B

6. **Lee** la pregunta y (**encierra**) en un círculo la mejor respuesta.

¿Cuál es un trabajo que produce un servicio en la escuela?

A   doblar la ropa

B   rastrillar hojas

C   cocinar

D   hacer la cama

myStory Book

Conéctate en línea para escribir e ilustrar tu **myStory Book** usando **miHistoria: Ideas** de este capítulo.

¿Cómo obtienen las personas lo que necesitan?

TEKS
ES 18.B
SLA 17

En este capítulo, aprendiste que las personas trabajan para obtener lo que necesitan o lo que desean.

Haz un dibujo de un trabajo que te gustaría tener cuando seas grande.

SAVVAS realize™ Conéctate en línea a tu lección digital interactiva.

91

Observar nuestro mundo

mi Historia: ¡Despeguemos!

¿Cómo es el mundo?

Piensa en un lugar donde te gustaría jugar al aire libre. **Dibuja** lo que ves allí.

mi Historia: Video

🌟 Conocimiento y destrezas esenciales de Texas

4.A Ubicar lugares usando los cuatro puntos cardinales.

4.B Describir la ubicación de sí mismo y de objetos relacionados con otros lugares, en el salón de clases y en la escuela.

5.A Crear y usar mapas simples tales como mapas del hogar, del salón de clases y de la comunidad.

5.B Ubicar la comunidad, Texas y los Estados Unidos en mapas y globos terráqueos.

6.A Identificar y describir las características físicas de lugar, tales como accidentes geográficos, masas de agua, recursos naturales y clima.

6.B Identificar ejemplos de recursos naturales y cómo éstos son utilizados en la comunidad, en el estado y en la nación.

6.C Identificar y describir cómo las características humanas de lugar, tales como la vivienda, la vestimenta, la alimentación y las actividades se basan en un lugar geográfico.

17.B Obtener información sobre algún tópico, utilizando una variedad de fuentes visuales tales como imágenes, símbolos, comunicación electrónica de los diferentes medios, mapas, literatura y artefactos.

17.C Ordenar en secuencia y categorizar la información.

18.A Expresar ideas oralmente basándose en el conocimiento y las experiencias.

18.B Crear e interpretar materiales visuales y escritos.

♫ Empecemos con una canción

¡Qué lindo es conservar!

Canta con la melodía de "La raspa".

Tenemos que cuidar
la tierra y el mar.
Ganamos al ahorrar
en vez de usar y usar.

Podemos reciclar
en vez de desperdiciar.
Nos vamos a alegrar;
¡qué lindo es conservar!

 **Conéctate en línea a tu lección digital interactiva.**

93

Vistazo al vocabulario

mapa

globo terráqueo

montaña

desierto

océano

Identifica y
encierra en un
círculo ejemplos de
estas palabras en la
ilustración.

Dónde viven los animales

montañas

desierto

lago

MAPA DEL ZOOLÓGICO

1 Patos
2 Focas
3 Entrada
4 Aves

lago

continente

reducir

reutilizar

reciclar

¡Imagínalo!

¿Dónde están ubicadas las cosas?

Marca con una X la silla que está junto al escritorio del maestro.

TEKS
4.A, 4.B, 5.A, 17.B, 18.B

Las palabras que indican dirección nos dicen dónde están ubicados las personas y los objetos. Una **dirección** es una instrucción para encontrar algo o para ir hacia un lugar. *Dentro, fuera, frente a* y *detrás de* son palabras que indican dirección. Bajas del autobús frente a la escuela. ¡Luego caminas hasta que llegas dentro del salón de clase!

1. ◎ **Idea principal y detalles Subraya** la idea principal en el texto de arriba.

ESCUELA
PRIMARIA HURSTON

AUTOBÚS

Aprenderé que las direcciones nos ayudan a ubicar lugares y cosas.

Vocabulario

dirección

mapa

Estás frente al estante. ¿Qué hay a la izquierda? **Encierra** el objeto en un círculo.

Dónde están los lugares

Podemos usar palabras que indican dirección para decir dónde están los lugares. En el dibujo, la estación de bomberos está a la izquierda de la casa de color café. La palabra *izquierda* nos indica dónde mirar.

2. **Dibuja** un árbol a la derecha de la casa de color café. **Haz un dibujo** donde estés frente a la estación de bomberos.

Direcciones en un mapa

Un **mapa** es un dibujo de un lugar. Muestra dónde están las cosas. Los mapas usan los puntos cardinales norte, sur, este y oeste.

Mira el siguiente mapa. Pon tu dedo en la escuela. Mueve el dedo hacia la flecha que dice "Oeste". El área de juego está al oeste de la escuela.

3. (Encierra) en un círculo lo que está al este del área de juego en el mapa.

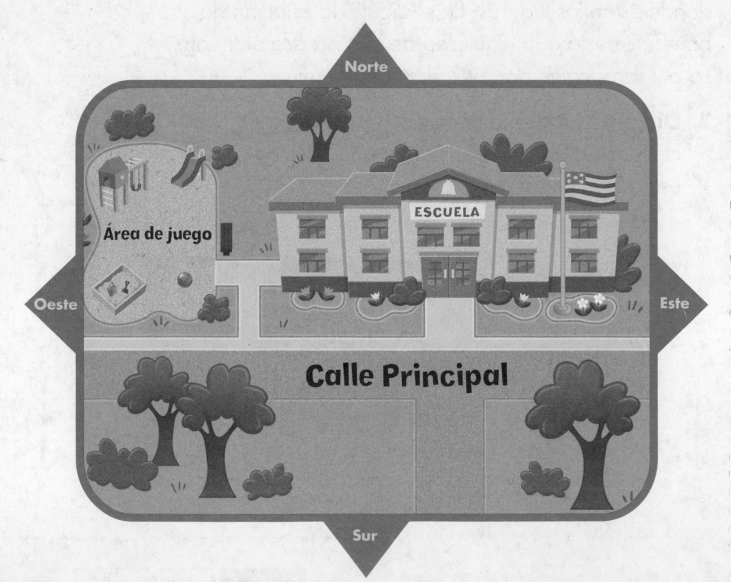

TEKS 4.B, 18.B

4. ◉ **Idea principal y detalles** **Lee** las siguientes oraciones. (**Encierra**) en un círculo la idea principal.

Puedo usar palabras que indican dirección para decir dónde estoy.

Estoy detrás de la escuela. Estoy sentado cerca de un árbol.

5. **Piensa** en un lugar donde aprendes cosas. **Escribe** dónde está. Usa palabras que indican dirección.

mi Historia: Ideas

6. Usa una hoja aparte. **Haz una lista** de tres lugares de la escuela. **Describe** su ubicación en relación con otros lugares. Luego comparte tus descripciones con un compañero. **Identifica** los lugares que describe tu compañero.

7. **Haz un dibujo** en una hoja aparte. Dibújate a ti mismo en un salón de clase. **Describe** tu ubicación relativa con respecto a otros lugares del salón o la escuela.

Partes de un mapa

Los mapas tienen muchas partes. El título indica qué muestra el mapa. El título de este mapa es "Centro de la ciudad". La rosa de los vientos muestra los puntos cardinales. Las puntas tienen una N para el norte, una S para el sur, una E para el este y una O para el oeste. Los símbolos de los mapas son dibujos que representan cosas reales. La leyenda dice qué quieren decir los símbolos. El símbolo de la biblioteca del mapa muestra dónde está la biblioteca.

Centro de la ciudad

Calle Principal

Calle Olmo

N
O   E
S

Leyenda

biblioteca

área de juego

escuela

tienda

TEKS

ES 4.A Ubicar lugares usando los cuatro puntos cardinales.

ES 5.A Crear y usar mapas del hogar, del salón de clases y de la comunidad.

ES 17.B Obtener información utilizando fuentes visuales tales como mapas.

ES 18.B Crear e interpretar materiales visuales.

SLA 15.B Explicar el significado de señales y símbolos (ej., características de los mapas).

¡Inténtalo!

1. **Encierra** en un círculo la rosa de los vientos del mapa de abajo.

2. **Subraya** el símbolo de la estación de bomberos en el mapa y en la leyenda.

3. **Crea** un mapa de tu hogar o de tu escuela en una hoja aparte. Piensa qué detalles mostrarás. Incluye una rosa de los vientos, símbolos y una leyenda. Escribe un título para tu mapa.

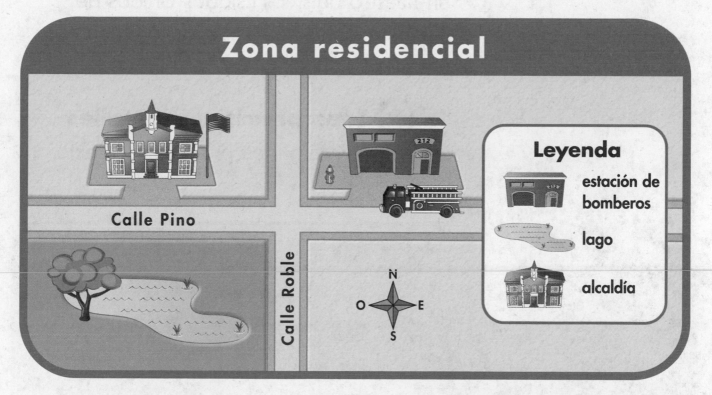

Mapas y globos terráqueos

¡Imagínalo!

monos

elefantes

Mira el mapa. ¿Cómo puedes ir del lugar de los elefantes al de los leones?

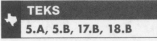

TEKS
5.A, 5.B, 17.B, 18.B

Los mapas y los globos terráqueos son herramientas para ubicar lugares. También los usamos para ir de un lugar a otro en nuestra comunidad y en Texas, nuestro gran estado. Nos muestran dónde vivimos en nuestro país, los Estados Unidos de América. Estas herramientas también nos muestran dónde vivimos en el mundo.

1. ◎ **Idea principal y detalles**
   Subraya la idea principal del texto de arriba.

leones

Dibuja una línea en el camino para mostrar cómo llegar hasta allí.

DESCIFRA LA PREGUNTA PRINCIPAL Aprenderé que los mapas y los globos terráqueos muestran lugares de la Tierra.

Vocabulario

globo terráqueo
leyenda

Globos terráqueos

La Tierra es el planeta donde vivimos. Es redonda, como una pelota. Un **globo terráqueo** es un modelo redondo de la Tierra. Muestra toda la tierra y el agua que hay en nuestro planeta. Las partes azules representan el agua. Las partes de color café y verde representan la tierra. Los globos terráqueos muestran países y estados, como los Estados Unidos y Texas. También muestran ciudades.

2. **Mira** las imágenes de las dos páginas. **Encierra** en un círculo las herramientas que te ayudan a ubicar lugares.

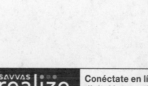

Mapas

Los mapas también muestran tierra y agua, pero son planos. Los mapas pueden mostrar lugares como un estado o una ciudad.

Los mapas también pueden mostrar lugares como un salón de clase. El mapa de un salón de clase puede mostrar los escritorios y las sillas.

A veces, los mapas muestran los puntos cardinales. Las puntas o las flechas señalan el norte, el sur, el este y el oeste.

3. **Completa** el espacio en blanco con el nombre de un punto cardinal. Usa el mapa como ayuda.

El escritorio está al _____ del estante.

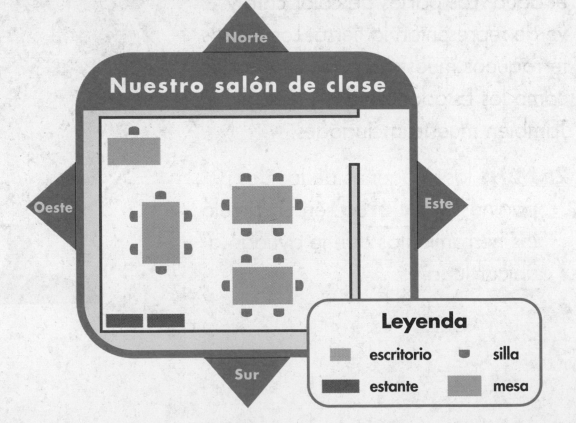

Ubicar lugares pequeños en un mapa

Podemos usar mapas para ubicar lugares pequeños. El mapa de la derecha muestra una escuela. También muestra lugares dentro de la escuela, como los salones de clase y la cafetería.

Algunos mapas tienen una leyenda, o clave. La **leyenda** indica qué quieren decir los símbolos del mapa. Por ejemplo, el símbolo del gimnasio que está en la leyenda te muestra en qué sala del mapa está el gimnasio.

Nuestra escuela

Norte

Oeste

Este

Sur

Leyenda

salón de clase

cafetería

gimnasio

enfermería

—— paredes

4. **Mira** el mapa. **Dibuja** un camino desde el gimnasio hasta la cafetería.

Ubicar lugares grandes en un mapa

Podemos usar mapas para ubicar lugares grandes. El mapa de abajo muestra los 50 estados de nuestro país. También muestra Washington, D.C. Esa es la capital de nuestra nación.

Mira la leyenda. La leyenda muestra una estrella para la capital de nuestra nación. Ubica la estrella en el mapa. La estrella marca dónde está Washington, D.C.

5. **Mira** el mapa. **Marca** con una X el estado de Texas. **Encierra** en un círculo los Estados Unidos.

Norte

Los Estados Unidos de América

Washington
Montana
Dakota del Norte
Minnesota
New Hampshire
Vermont
Maine
Oregón
Idaho
Michigan
Nueva York
Massachusetts
Dakota del Sur
Wisconsin
Wyoming
Rhode Island
Connecticut
Pennsylvania
Nevada
Nebraska
Iowa
Ohio
Nueva Jersey
Utah
Illinois
Indiana
Virginia
Delaware
Occidental
Maryland
California
Colorado
Missouri
Virginia
Washington, D.C.
Kansas
Kentucky
Arizona
Nuevo México
Oklahoma
Tennessee
Carolina del Norte
Carolina del Sur
Arkansas
Alabama
Georgia
Mississippi
Texas
Luisiana
Florida
Alaska
Hawái

Oeste

Este

Sur

Leyenda
⭐ capital de la nación

106

6. ⊙ **Comparar y contrastar** ¿En qué se parecen los mapas y los globos terráqueos? ¿En qué se diferencian?

Similitudes

Diferencias

7. Piensa en un mapa de tu comunidad. Nombra algunos lugares que incluirías en tu mapa.

mi Historia: Ideas

8. **Haz girar** un globo terráqueo. Cuando se detenga, **ubica** y señala los Estados Unidos. Luego **ubica** Texas y tu comunidad.

La tierra y el agua

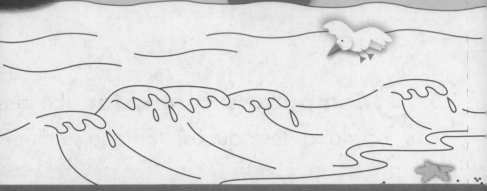

¡Imagínalo!

Colorea la tierra de color café.
Colorea el agua de color azul.

TEKS
6.A, 17.B, 17.C, 18.A, 18.B

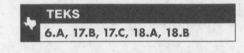

En la Tierra hay cosas que vienen de la naturaleza, como la tierra y el agua. También hay cosas hechas por las personas, como las casas y los caminos.

Características físicas

Las cosas de la naturaleza son las características físicas de un lugar. Las características físicas incluyen la tierra y el agua.

1. **Mira** la imagen. **Identifica** la tierra y **enciérrala** en un círculo. **Marca** con una X el agua.

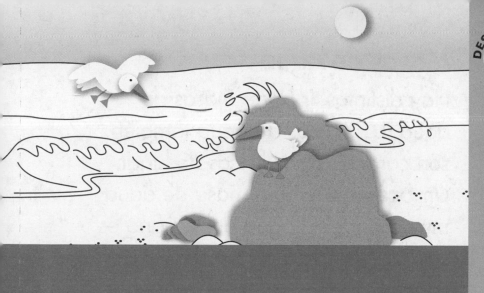

Aprenderé sobre las distintas formas de la tierra y el agua en nuestro planeta.

Vocabulario

montaña	océano
colina	lago
desierto	río

Accidentes geográficos

Las diferentes formas de la Tierra se llaman accidentes geográficos. Los accidentes geográficos son un ejemplo de características físicas de lugar. Una **montaña** es la formación de tierra más alta. Una **colina** es más alta que el terreno llano, pero no es tan alta como una montaña. Un **desierto** es un terreno muy seco.

2. **Traza** una línea para unir cada foto de un accidente geográfico con su nombre en el texto.

Conéctate en línea a tu lección digital interactiva.

Masas de agua

Hay distintos tipos de masas de agua. Las masas de agua también son características físicas de lugar. Un **océano** es una masa de agua muy grande. El agua del océano es salada. Un **lago** está rodeado de tierra. Los lagos son más pequeños que los océanos. Un **río** es largo. El agua de los ríos corre hacia un lago o un océano. El agua de la mayoría de los lagos y ríos no es salada.

3. **Traza** una línea para unir cada foto con su nombre en el texto.

4. **Comparar y contrastar** **Escribe** una manera en que se parecen los lagos y los océanos. **Escribe** una manera en que se diferencian.

Similitudes

_____

_____

_____

Diferencias

_____

_____

_____

5. ¿Qué tipo de accidente geográfico o masa de agua hay cerca de tu comunidad?

mi Historia: Ideas

_____

_____

_____

6. **Haz un dibujo** en una hoja aparte. Muestra un accidente geográfico o una masa de agua del lugar donde vives. Intercambia tu dibujo con un compañero. **Identifica** y **describe** lo que dibujó tu compañero. Usa tus palabras de vocabulario.

 SAVVAS realize. Conéctate en línea a tu lección digital interactiva.

111

Los continentes y los océanos

¡Imagínalo!

Esta es una imagen de los Estados Unidos. Se tomó desde el espacio.

Un mapa del mundo puede mostrar toda la Tierra. El siguiente mapa muestra toda el agua y la tierra del planeta. La mayor parte de la Tierra está cubierta de agua. La tierra y el agua son características físicas de lugar.

El mundo

OCÉANO GLACIAL ÁRTICO

AMÉRICA DEL NORTE

EUROPA

ASIA

OCÉANO ATLÁNTICO

ÁFRICA

OCÉANO PACÍFICO

OCÉANO PACÍFICO

AMÉRICA DEL SUR

AUSTRALIA

OCÉANO ÍNDICO

N
O   E
S

ANTÁRTIDA

Escribe qué muestran las áreas de color verde y café en la imagen.

Continentes y océanos

Un **continente** es un área grande de tierra. Hay siete continentes en nuestro planeta. Vivimos en el continente de América del Norte.

En la Tierra hay cuatro grandes masas de agua llamadas océanos. América del Norte está rodeada de tres océanos. Por el este, está el océano Atlántico. Por el oeste, el océano Pacífico. Por el norte, está el océano Glacial Ártico.

1. ◉ **Idea principal y detalles**
   (Encierra) en un círculo la idea principal del texto de arriba.

SAVVAS realize™ Conéctate en línea a tu lección digital interactiva.

113

América del Norte

Los Estados Unidos son un país del continente de América del Norte. Texas se ubica en los Estados Unidos. Tu comunidad está en Texas. Canadá y México también son países de América del Norte. Canadá está al norte de los Estados Unidos. México está al sur de los Estados Unidos.

2. Ubica las masas de agua en el mapa. **Encierra** en un círculo el océano Glacial Ártico, el océano Pacífico y el océano Atlántico. **Subraya** el golfo de México.

TEKS 5.B, 6.A, 18.A

¿Entiendes?

3. ⊙ **Idea principal y detalles Lee** las siguientes oraciones. **Encierra** en un círculo la idea principal. **Subraya** los detalles.

Nuestro planeta tiene muchos tipos de tierra y de agua. Hay siete continentes. Hay cuatro océanos.

4. ¿En qué continente está tu comunidad? mi Historia: Ideas

5. Ubica los Estados Unidos en un globo terráqueo. Con un dedo, traza un círculo alrededor del globo terráqueo hasta volver a los Estados Unidos. **Habla** con un compañero. **Di** algo sobre los océanos y los continentes que cruzaste con el dedo.

Nuestro medio ambiente

(Encierra) en un círculo las cosas que no forman parte de una playa soleada.

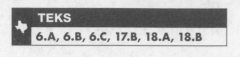

TEKS
6.A, 6.B, 6.C, 17.B, 18.A, 18.B

La Tierra es nuestro hogar. Usamos cosas de la Tierra para vivir.

Recursos naturales

Un recurso es algo que podemos usar. Los recursos naturales vienen de la naturaleza. Usamos el agua para beber, cocinar y lavar. Cultivamos alimentos en el suelo. Usamos árboles para hacer cosas.

Los recursos naturales son características físicas de los lugares. Algunos lugares tienen muchos de estos recursos.

1. **Subraya** los recursos naturales.

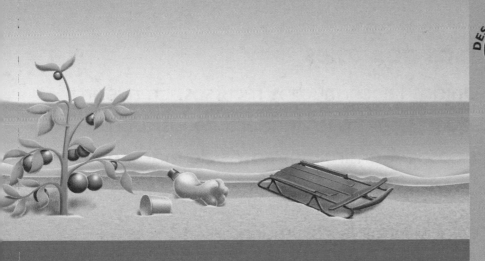

DESCIFRA LA PREGUNTA PRINCIPAL

Aprenderé que el estado del tiempo y los recursos naturales influyen en nuestra forma de vida.

Vocabulario

estado del tiempo   reutilizar

reducir   reciclar

Cuidar la Tierra

Podemos cuidar nuestros recursos naturales. **Reducir** es usar menos cantidad de algo. Reduces la cantidad de agua que usas cuando cierras la llave mientras te cepillas los dientes.

Reutilizar algo es usarlo más de una vez. Puedes reutilizar una bolsa de tela para llevar tu almuerzo a la escuela todos los días.

Reciclar es tomar algo y convertirlo en algo nuevo. Los neumáticos viejos se reciclan para fabricar cubiertas blandas para las áreas de juego.

2. **Subraya** maneras de cuidar la Tierra.

Usar recursos naturales

Los Estados Unidos tienen muchos recursos. En nuestro país hay bosques. Usamos la madera de los árboles para muchas cosas. Construimos casas de madera. También hacemos lápices con madera.

Texas es un estado grande con muchos recursos. El petróleo que hay debajo del suelo se usa como combustible. En muchas partes de Texas, el suelo es bueno. Los granjeros cultivan maíz y trigo. Comemos el maíz. Usamos el trigo para hacer pan y pastas.

Las plantas y los animales también son recursos naturales. Los rancheros de Texas crían ganado. Las comunidades de pescadores pescan peces y camarones en las aguas del golfo de México. ¡Comemos los camarones en los tacos!

3. **Encierra** en un círculo los recursos naturales. **Subraya** las maneras en que se usan.

El estado del tiempo

El **estado del tiempo,** o tiempo, es cómo está el día afuera en un determinado momento. El estado del tiempo es una característica física de un lugar. No es igual en todas partes. En algunos lugares, el estado del tiempo es caluroso. En otros lugares, el estado del tiempo es frío. En distintos lugares puede haber un estado del tiempo seco, húmedo o nevoso.

Las casas nos mantienen abrigados o frescos. El estado del tiempo nos ayuda a escoger qué tipo de casa construir. La casa de la foto de arriba tiene paredes gruesas. Mantienen fresco el interior de la casa. La casa de la foto de abajo tiene un techo inclinado. Permite que la nieve se deslice.

4. **Completa** el espacio en blanco usando los detalles de arriba como ayuda.

La lluvia es un tipo de

_____

_____

Personas y lugares

Las personas cambian los lugares. Construyen casas y caminos. Las cosas que hacen las personas son las características humanas de lugar. También lo son la ropa o vestimenta, la alimentación y las actividades. Estas cosas varían según la ubicación geográfica o el lugar geográfico.

Las personas que viven en lugares fríos necesitan ropa abrigada. Las personas que viven en lugares calurosos necesitan ropa liviana.

En los distintos lugares crecen árboles y plantas diferentes. Las personas usan distintos materiales para construir sus casas. Comen distintos alimentos.

5. **Encierra** en un círculo una actividad que harías en un lugar caluroso.

6. ◉ **Causa y efecto** ¿Qué estado del tiempo te haría usar un abrigo?

_____

_____

_____

7. ❓ ¿Cómo usas un recurso natural que está cerca de tu comunidad?

mi Historia: Ideas

_____

_____

8. **Haz un dibujo** de una actividad al aire libre que se pueda hacer en tu comunidad. Usa una hoja aparte. Presenta tu dibujo a un compañero. **Identifica** las características humanas de lugar en el dibujo de tu compañero. **Describe** cómo esas características se basan en tu ubicación geográfica.

9. **Entrevista** a un amigo o un pariente sobre un lugar de Texas. **Obtén** información sobre los alimentos, la vestimenta y las viviendas. **Describe** cómo estas cosas se basan en la ubicación geográfica.

SAVVAS realize. Conéctate en línea a tu lección digital interactiva.

121

Idea principal y detalles

Todos los textos tienen una idea principal. La idea principal es la idea más importante. Los detalles dicen más cosas sobre la idea principal. La idea principal de un párrafo a menudo es la primera oración.

Mira la siguiente postal. David y su familia fueron al lago. Esa es la idea principal. Fueron a nadar. Pasearon en bote. Esos son detalles. Los detalles dicen más sobre la idea principal.

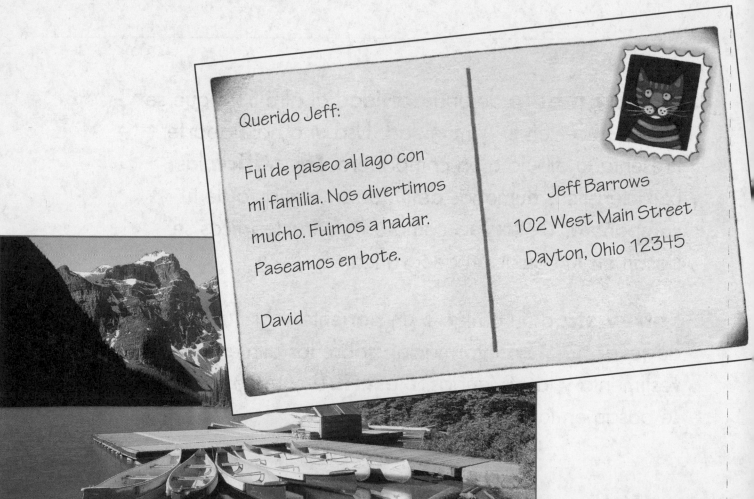

Querido Jeff:

Fui de paseo al lago con mi familia. Nos divertimos mucho. Fuimos a nadar. Paseamos en bote.

David

Jeff Barrows
102 West Main Street
Dayton, Ohio 12345

TEKS

ES 6.C Identificar y describir cómo las características humanas de lugar, tales como las actividades se basan en un lugar geográfico.

SLA 4.B Hacer preguntas relevantes y localizar hechos y detalles de los textos.

SLA 14.A Volver a exponer la idea principal.

SLA 14.B Identificar los detalles o hechos importantes en el texto.

¡Inténtalo!

1. **Lee** la siguiente postal de Jackie.

2. **Encierra** en un círculo la idea principal.
   Subraya los detalles.

Querida abuela:

Fuimos a las montañas
a visitar a la tía Lexie.
Anduvimos en trineo.
Hicimos bolas de nieve.
Hacía frío, ¡pero fue
divertido!

Jackie

Sra. Mary Muñoz
3002 West First Avenue
Tampa, FL 12345

SAVVAS realize. Conéctate en línea a tu lección digital interactiva.

123

Ir de aquí a allá

Encierra en un círculo las imágenes que muestran maneras que hayas usado para viajar.

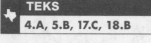

TEKS
4.A, 5.B, 17.C, 18.B

Piensa en un vaso de jugo de naranja. Hacen falta muchos pasos para que el jugo llegue a tu vaso. Hay trabajadores que cosechan las naranjas. Unos camiones las llevan a una fábrica. Los empleados convierten las naranjas en jugo. Ponen el jugo en botellas. Unos camiones llevan las botellas a las tiendas. Entonces puedes comprar el jugo y servirlo en un vaso.

Aprenderé cómo se conectan las personas en distintos lugares.

Vocabulario

medio de transporte

comunicarse

Medios de transporte

Un **medio de transporte** es la manera en que las personas y los bienes van de un lugar a otro. Los camiones, los aviones y los barcos son medios de transporte. Los trenes, los autobuses y las bicicletas también son medios de transporte.

Usamos los medios de transporte para ir a distintos lugares. Los vendedores los usan para llevar bienes a las tiendas. Los compradores los usan para ir a las tiendas y comprar bienes, como el jugo de naranja.

1. Escribe palabras para terminar la oración.

Uso un medio de transporte cuando voy a

_____

SAVVAS realize. Conéctate en línea a tu lección digital interactiva.

125

Comunicación

Puedes comunicarte con personas que viven muy lejos. **Comunicarse** es dar y recibir información. Puedes escribir una carta. Puedes usar tu computadora para enviar un correo electrónico. Puedes usar un teléfono para tener una conversación.

2. ⊙ **Idea principal y detalles**
   (Encierra) en un círculo la idea principal del párrafo de arriba. **Subraya** las oraciones que dan detalles.

TEKS 4.A, 5.B, 17.C, 18.B

3. ⊙ **Comparar y contrastar** **Escribe** las palabras del recuadro en el lugar correcto de la tabla.

| camión | teléfono | computadora | autobús |

Medios de transporte y comunicación	
Medios de transporte	**Comunicación**

4. ⟨?⟩ ¿Qué medios de transporte usas en tu comunidad?

mi Historia: Ideas

_____

_____

5. **Ubica** tu comunidad en un mapa de Texas. Escoge otro lugar de Texas que te gustaría visitar. **Explica** cómo puedes ir hasta allí. **Di** qué medio de transporte puedes usar y en qué dirección debes ir.

Lección 1 🔺 TEKS 4.A, 5.A

1. **Mira** el mapa. (**Encierra**) en un círculo las cosas que están al norte de la calle Principal.

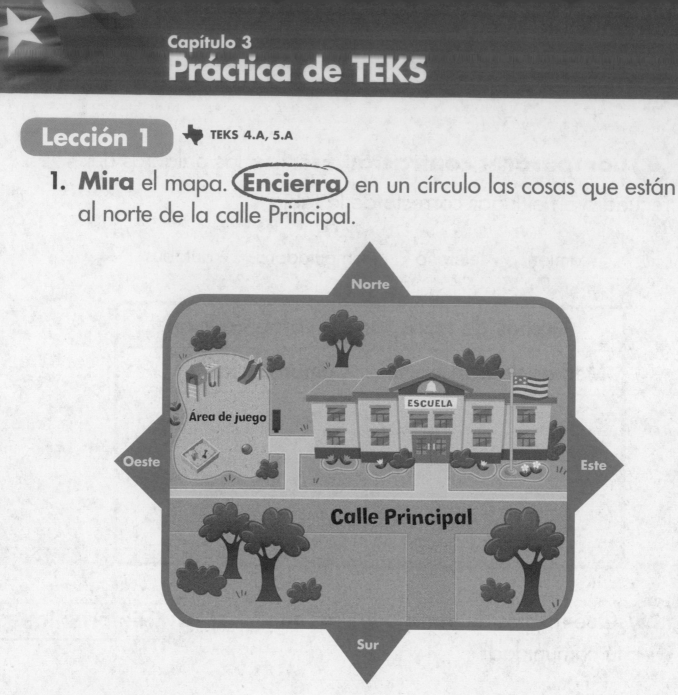

Lección 2 🔺 TEKS 5.A

2. **Mira** el mapa de arriba. **Lee** la pregunta y (**encierra**) en un círculo la mejor respuesta.

¿Qué está ubicado al oeste de la escuela?

A la calle Principal   **C** el mástil de la bandera

B el área de juego   **D** un árbol

Lección 3 ⭐ TEKS 6.A

3. Mira el mapa. **Marca** con una *X* los recursos naturales. **Encierra** en un círculo algo hecho por las personas con recursos naturales. Di cómo las personas usan cada recurso.

Zona residencial

Calle Pino

Lección 4 ⭐ TEKS 5.B

4. América del Norte está arriba a la izquierda. **Encierra** en un círculo los Estados Unidos. **Marca** con una *X* dónde está ubicado Texas.

El mundo

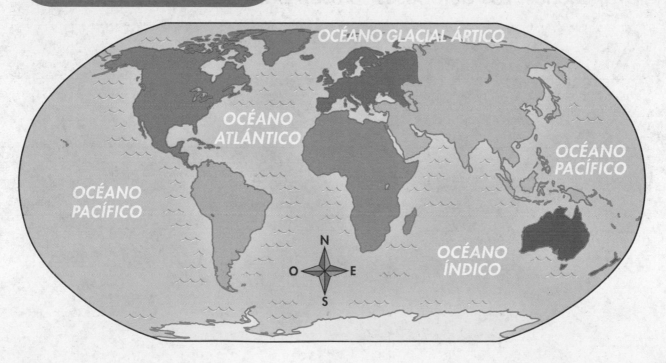

OCÉANO GLACIAL ÁRTICO

OCÉANO ATLÁNTICO

OCÉANO PACÍFICO

OCÉANO PACÍFICO

OCÉANO ÍNDICO

N O E S

5. ¿Qué ropa usarías para salir si vivieras en un lugar frío?

6. ◎ **Idea principal y detalles** **Lee** las oraciones. **Encierra** en un círculo la idea principal. **Escribe** una oración que dé detalles.

Hay muchos medios de transporte. Los camiones se usan para llevar bienes. Los autobuses se usan para llevar personas.

Conéctate en línea para escribir e ilustrar tu **myStory Book** usando **miHistoria: Ideas** de este capítulo.

¿Cómo es el mundo?

Dibuja un mapa de un lugar real que conoces bien. Escoge uno de estos lugares: tu casa, tu salón de clase, tu escuela o tu comunidad.

TEKS
ES 5.A
SLA 17

Las tradiciones que compartimos

mi Historia: ¡Despeguemos!

PREGUNTA PRINCIPAL ?

¿Cómo se comparte la cultura?

mi Historia: Video

Haz un dibujo de ti con tu familia.
Muestra una actividad preferida que hacen juntos.

⭐ Conocimiento y destrezas esenciales de Texas

1.A Describir el origen de las costumbres, días festivos y celebraciones de la comunidad, del estado y de la nación tales como el Día de la Batalla de San Jacinto, el Día de la Independencia, el Día de los Veteranos de Guerra.

1.B Comparar el cumplimiento de días festivos y celebraciones, en el pasado y en el presente.

2.A Identificar las contribuciones de personajes históricos, incluyendo a Sam Houston, George Washington, Abraham Lincoln y Martin Luther King Jr., quienes han influenciado la comunidad, el estado y la nación.

2.B Identificar personajes históricos tales como Alexander Graham Bell, Thomas Edison, Garrett Morgan, Richard Allen y otros individuos que han exhibido características de individualismo (peculiaridad) e inventiva.

2.C Comparar las similitudes y diferencias entre las vidas y las actividades de los personajes históricos y de otros individuos que han influenciado la comunidad, el estado y la nación.

6.C Identificar y describir cómo las características humanas de lugar, tales como la vivienda, la vestimenta, la alimentación y las actividades se basan en un lugar geográfico.

7.B Describir las similitudes y las diferencias de cómo las familias satisfacen sus necesidades humanas básicas.

13.A Identificar características de lo que significa ser un buen ciudadano, lo que incluye la veracidad, la justicia, la igualdad, el respeto por uno mismo y por los demás, la responsabilidad en el diario vivir y la participación en el gobierno, manteniéndose informado sobre los asuntos gubernamentales, respetuosamente siguiendo las disposiciones de los oficiales públicos y votando.

13.B Identificar personajes históricos tales como Benjamin Franklin, Francis Scott Key y Eleanor Roosevelt quienes han sido un ejemplo de buena ciudadanía.

13.C Identificar otros ciudadanos que han sido ejemplo de buena ciudadanía.

15.A Describir y explicar la importancia de las diferentes creencias, costumbres, idiomas y tradiciones de las familias y las comunidades.

15.B Explicar cómo los cuentos folklóricos y las legendas, tales como las fábulas de Esopo, reflejan las creencias, las costumbres el idioma y las tradiciones de las comunidades.

17.B Obtener información sobre algún tópico, utilizando una variedad de fuentes visuales tales como imágenes, símbolos, comunicación electrónica de los diferentes medios, mapas, literatura y artefactos.

17.C Ordenar en secuencia y categorizar la información.

18.A Expresar ideas oralmente basándose en el conocimiento y las experiencias.

18.B Crear e interpretar materiales visuales y escritos.

Empecemos con una canción

A conocer el mundo

Canta con la melodía de "La bamba".

A conocer el mundo,
a conocer el mundo.
Yo te invito
a que viajes conmigo.
A que viajes conmigo
por tren o barco
o tal vez en avión.

Y arriba y arriba y arriba irás.
Un montón de lugares,
un montón de lugares
conocerás, conocerás, conocerás.
Mundo, mundo, mundo, mundo.

Vistazo al vocabulario

cultura

celebrar

costumbre

héroe

vivienda

CELEBRACIÓN DEL DÍA
DE LA CULTURA

COMIDA DE
TAILANDIA
อาหาร

134

Identifica y **encierra** en un círculo ejemplos de estas palabras en la ilustración.

tradición

presidente

día festivo

familia

idioma

135

¿Qué es la cultura?

¡Imagínalo!

¿En qué se parecen estas fotos?
Escribe sobre las similitudes.

TEKS
6.C, 7.B, 15.A, 17.B, 18.A, 18.B

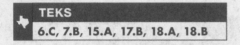

En el mundo viven muchas familias. Todas las familias tienen las mismas necesidades básicas. Necesitan alimentación, ropa o vestimenta y una **vivienda,** o casa. Las familias de los distintos lugares satisfacen sus necesidades de diferentes maneras según su ubicación geográfica.

1. **Mira** las imágenes. **Encierra** en un círculo las similitudes entre lo que hacen los niños de cada imagen. **Marca con una X** las diferencias en la manera en que lo hacen.

Vocabulario

vivienda
cultura
idioma

Culturas diferentes

La **cultura** es la manera en que vive un grupo de personas. Hay muchas culturas diferentes. Cada cultura tiene su propia música, danza y arte. Cada una tiene su propia religión, sus creencias y su idioma. El **idioma** es el conjunto de palabras que usamos al hablar.

2. **Mira** las fotos. **Escribe** una similitud entre las culturas basándote en lo que sabes.

Lo que comemos

Cada cultura tiene su propia alimentación. Lo que comemos depende de nuestra ubicación geográfica. La manera en que comemos también depende del lugar donde vivimos. Muchas personas usan tenedores. Otras usan palillos. Algunos alimentos se comen con la mano.

En nuestro país, podemos comer comidas de muchas culturas. Usamos tenedores y palillos. ¡También comemos con la mano!

3. **Encierra** en un círculo los alimentos que comes con las manos.

La ropa que usamos

La ropa es parte de todas las culturas.
Nuestra ropa tiene diferencias. También tiene
similitudes. Tenemos ropa para la escuela,
para el trabajo y para jugar. Tenemos ropa
para los días especiales.

La ropa que usan las personas depende de
su ubicación geográfica. En los lugares
calurosos, las personas usan ropa fresca. En
los lugares fríos, usan ropa abrigada.

4. ◉ **Idea principal y detalles**
   Encierra en un círculo la idea
   principal del segundo párrafo.
   Subraya dos detalles.

Las casas donde vivimos

Todas las personas necesitan una vivienda, o casa. Las personas construyen sus casas de manera diferente según la ubicación geográfica. En los lugares calurosos, las casas están hechas para que el calor quede fuera. En los lugares fríos, las casas están hechas para que el calor quede dentro.

Algunas casas son de piedra, barro o ladrillo. Otras son de madera de los árboles.

Algunas casas están hechas para una sola familia. Otras están hechas para muchas familias.

5. **Mira** las fotos. **Escribe** una diferencia entre estas casas.

_____

_____

_____

_____

6. ◉ **Comparar y contrastar** ¿Cuáles son las similitudes entre las necesidades humanas de todas las culturas? ¿Cuáles son las diferencias?

_____

_____

_____

7. ❓ ¿Qué cosa te gustaría contarle a alguien sobre tu cultura?

mi Historia: Ideas

_____

_____

_____

8. **Recorta** fotos de revistas que muestren diferentes viviendas, tipos de alimentación, ropa y actividades. **Pégalas** en un papel para carteles. **Habla** con un compañero sobre la vivienda, la alimentación, la ropa y las actividades que escogiste. **Describe** cómo dependen de la ubicación geográfica, o el lugar donde viven las personas.

SAVVAS realize™ Conéctate en línea a tu lección digital interactiva.

141

¡Imagínalo!

Las familias son parecidas y diferentes

Estas son dos familias diferentes.

TEKS
7.B, 15.A, 17.B, 18.B

Una **familia** es un grupo de personas que viven juntas. Una familia puede ser pequeña. Una familia puede ser grande.

Todas las familias se parecen en algunas cosas. Las personas, o miembros, de una familia comparten la misma cultura. Se cuidan unos a otros. Cada uno tiene responsabilidades dentro de su familia.

Costumbres familiares

Las familias tienen muchas costumbres. Una **costumbre** es la manera en que las personas suelen hacer algo.

Haz un dibujo de tu familia.

DESCIFRA LA PREGUNTA PRINCIPAL

Aprenderé que las familias comparten distintas costumbres.

Vocabulario

familia

costumbre

tradición

Las familias se comunican en su propio idioma. Algunas familias hablan más de un idioma. Muchas familias comparten costumbres sobre sus creencias.

Las diferentes costumbres de cada familia la hacen especial. Compartir una comida es una costumbre importante en muchas familias.

1. Encierra en un círculo una costumbre que se muestra en esta imagen.

Las familias comparten la cultura

Las familias comparten su cultura con la comunidad. Las canciones, las danzas y las comidas que comparten las comunidades son tradiciones. Una **tradición** es una manera de hacer algo que se transmite entre las personas a través del tiempo.

Mira la foto. Una familia es la dueña de este mercado. Aquí, la familia vende comidas de su cultura. Cuando otras personas compran y comen estas comidas, están compartiendo la cultura de esa familia.

2. ◉ **Comparar y contrastar** ¿En qué se parece este mercado a uno de tu comunidad? ¿En qué se diferencia?

3. ◉ **Secuencia Escribe** una oración sobre una costumbre que tiene que ver con la comida y que compartes con tu familia. **Di** qué haces primero.

Primero, mi familia y yo _____

_____

4. ? ¿Qué tradición compartes con tu familia?

mi **Historia: Ideas**

_____

_____

_____

5. **Haz un dibujo.** Usa una hoja aparte. Muestra cómo compartes una costumbre o una tradición con tu familia y tu comunidad. **Cuenta** a un compañero sobre tu dibujo.

6. **Habla** con un compañero. **Describe** la importancia de los idiomas y las creencias de las familias y de las comunidades. ¿En qué se parecen tu familia y tu comunidad?

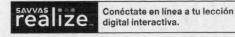
SAVVAS realize. Conéctate en línea a tu lección digital interactiva.

145

Compartimos nuestras culturas

¡Imagínalo!

Mira a estos niños jugando su juego favorito.

TEKS
15.A, 17.B, 17.C, 18.B

Los niños de otros países hablan idiomas diferentes. Tienen costumbres diferentes. Conoce a algunos niños de otros países.

Conoce a Choon-Hee

¡Hola! Soy Choon-Hee, de Corea del Sur. Cuando llego a casa de la escuela, dejo los zapatos al lado de la puerta. Esta es una antigua costumbre de mi país. Luego, toco música. Por último, preparo la mesa. Usamos palillos para comer.

1. 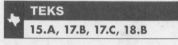 **Secuencia Escribe** 1, 2 ó 3 al lado de la oración que indica qué hace Choon-Hee primero, luego y por último cuando llega de la escuela.

Aprenderé que los niños de otros países tienen culturas diferentes.

Vocabulario
....
fiesta

Dibuja un juego que te gusta jugar.

Conoce a Pedro

¡Hola! Me llamo Pedro. Vivo con mi familia en México. Mi casa está cerca del océano. Me gusta nadar. Me gusta jugar fútbol. En los Estados Unidos lo llaman *soccer*.

El sábado habrá una **fiesta,** o celebración, en mi pueblo. Es una tradición divertida. Oiremos música. Comeremos cosas ricas. Jugaremos y nos divertiremos.

2. **Escribe** una cosa que Pedro hace y que a ti te gustaría hacer.

_____

SAVVAS realize.™ Conéctate en línea a tu lección digital interactiva.

147

Conoce a Hawa

Soy Hawa, de Malí. Vivo con mi familia. Mi madre es maestra. Algún día, yo quiero ser maestra.

Mi familia se levanta a las 7 en punto. Desayunamos y luego me voy a la escuela a pie. Tardo 20 minutos en llegar.

Mi clase se reúne en el patio de recreo. Izamos la bandera de nuestro país. Es una costumbre cantar la canción de nuestro país.

3. **Subraya** algo que Hawa y tú hacen en la escuela.

Conoce a Kurt

¡Guten Tag! Eso quiere decir "hola" en alemán. Yo vivo en una ciudad grande de Alemania. Tengo una computadora que uso en la escuela. También la uso para escribirles a los amigos que viven lejos.

4. **Encierra** en un círculo las palabras que quieren decir "hola" en alemán.

5. ◉ **Comparar y contrastar Escribe** una manera en que tú y los niños de esta lección son similares. **Escribe** una manera en que son diferentes.

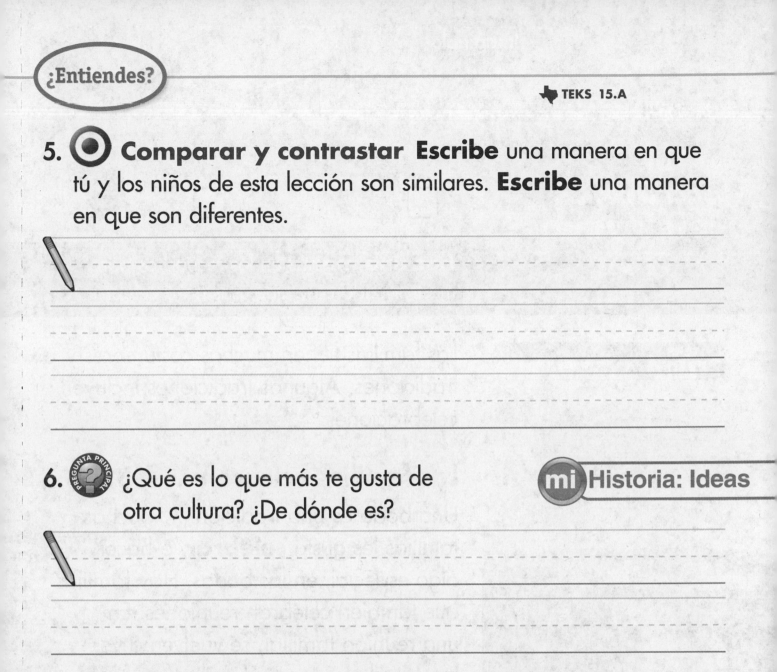

6. ❓ ¿Qué es lo que más te gusta de otra cultura? ¿De dónde es?

mi Historia: Ideas

7. **Haz dibujos.** Usa una hoja aparte. **Muestra** algunas costumbres y tradiciones importantes de tu familia o comunidad. **Escribe** una oración sobre cada una.

SAVVAS realize™   Conéctate en línea a tu lección digital interactiva.

149

¿Qué ocasiones celebramos?

¡Imagínalo!

Haz una marca en los recuadros para mostrar cada cosa que usas para celebrar.

TEKS
1.A, 15.A, 17.B, 18.B

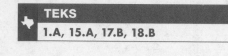

Las familias tienen muchas costumbres y tradiciones. Algunas tradiciones incluyen celebraciones.

Las familias celebran

Una boda es una tradición. A muchas familias les gusta **celebrar,** o hacer algo especial, en las bodas. Hay familias que también celebran reuniones. En una reunión familiar, se vuelven a ver los miembros de una familia que viven lejos. Muchas familias también celebran cuando sus hijos se gradúan de la escuela.

1. ⦿ **Idea principal y detalles** Encierra en un círculo la idea principal de esta página. **Subraya** un detalle.

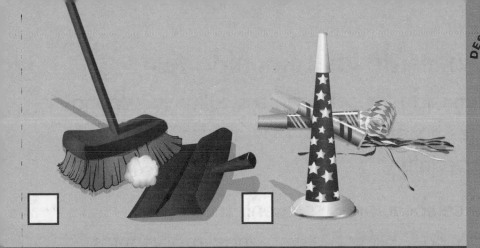

DESCIFRA LA PREGUNTA PRINCIPAL

Aprenderé sobre las celebraciones de las familias y las comunidades.

Vocabulario

celebrar
día festivo

Cómo celebramos

Muchas familias celebran los días festivos con tradiciones. Un **día festivo** es un día especial. Algunos días festivos honran a personas. Otros días festivos honran tradiciones y creencias religiosas. La Navidad, la Pascua judía, el Eid al Fitr y el Kwanzaa son algunos días festivos.

¿Cómo celebran las familias los días festivos? Quizá comen platos especiales. Quizá encienden velas. Quizá decoran sus casas o se dan regalos.

2. **Escribe** el nombre de un día festivo que honre las creencias de tu familia.

_____

SAVVAS realize. Conéctate en línea a tu lección digital interactiva.

151

Celebraciones de las comunidades

Muchas comunidades celebran sus culturas. Algunas comunidades hacen desfiles. Hay música, baile y comidas especiales.

En algunas celebraciones se cuentan historias. Algunas historias son sobre personas importantes. Otras son sobre sucesos o acontecimientos conocidos del pasado. Una celebración importante en Texas es el Día de la Batalla de San Jacinto. Ese día se recuerda cuando Texas obtuvo su libertad de México.

3. **Subraya** por qué se celebra el Día de la Batalla de San Jacinto.

4. ◉ **Comparar y contrastar Escribe** una manera en que se parecen muchos días festivos. **Escribe** una manera en que se diferencian.

Similitudes: ╲ _____

Diferencias: ╲ _____

5. ❓ ¿Cuál es una celebración de tu comunidad?

mi Historia: Ideas

╲ _____

6. **Escribe** una lista de los días festivos que celebra tu familia. Usa una hoja aparte. **Habla** con un compañero sobre las celebraciones familiares. **Comenta** por qué tus costumbres, tradiciones y creencias son importantes para ti.

7. **Haz un dibujo** de cómo celebras el Día de la Batalla de San Jacinto. **Habla** sobre tu dibujo.

SAVVAS realize Conéctate en línea a tu lección digital interactiva.

153

Comparar y contrastar

Comparar es mostrar en qué se parecen las cosas, o en qué son iguales. Contrastar es mostrar en qué se diferencian las cosas, o en qué no son iguales.

Mira las fotos de esta página. Luego lee sobre las viviendas de Jin y de Matt. ¿En qué se parecen sus casas? ¿En qué se diferencian?

La casa de Jin es de madera. Hay cinco cuartos. Aquí vive una familia.

La casa de Matt es de ladrillo. Hay cinco cuartos. Aquí viven muchas familias.

Similitudes En ambas casas hay cinco cuartos.

Diferencias La casa de Jin es para una familia.
La casa de Matt es para muchas familias.

Objetivo de aprendizaje

Aprenderé a comparar y contrastar cosas.

TEKS

ES 7.B Describir las similitudes y las diferencias de cómo las familias satisfacen sus necesidades humanas básicas.

SLA 4.B Localizar hechos y detalles de las historias y de otros textos.

¡Inténtalo!

Jin va a la escuela. Usa uniforme. A Jin le gusta aprender ciencias.

Matt va a la escuela. Usa *jeans* y una camiseta. A Matt le gusta aprender matemáticas.

1. Escribe una manera en que se parecen Jin y Matt.

_____

2. Escribe una manera en que se diferencian Jin y Matt.

_____

_____

_____

SAVVAS realize. Conéctate en línea a tu lección digital interactiva.

155

Todos contribuimos

¡Imagínalo!

Encierra en un círculo maneras en que las personas se ayudan entre sí.

TEKS
2.B, 2.C, 13.A, 13.B, 13.C, 17.B, 18.B

Muchas personas **contribuyen** con nuestro país, o lo ayudan.

Ayudar a los demás

Los buenos ciudadanos ayudan a nuestro país. Eleanor Roosevelt fue una buena ciudadana. Trabajó para ayudar a las mujeres, los niños y los pobres. Esas personas no tenían los mismos derechos que los demás. Eleanor Roosevelt los ayudó a escribir un documento importante sobre esos derechos.

1. ◎ **Idea principal y detalles**
Encierra en un círculo la idea principal de esta página. **Subraya** dos detalles.

THE UNIVERSAL DECLARATION
OF **Human Rights**

Compartir ideas

Otra manera de ayudar a nuestro país es compartir ideas. Richard Allen vivió en Texas. Tenía buenas ideas. Diseñó, o dibujó planos, de casas y puentes. También los construyó.

Aprendió sobre asuntos del estado. Luego se convirtió en un líder del gobierno. Mostró su individualismo actuando según sus creencias para ayudar a otros. Ayudó a que se aprobaran leyes justas para los afroamericanos. Allen fue uno de muchos afroamericanos que trabajaron mucho para ayudar a los demás.

2. **Subraya** cómo Richard Allen ayudó a las personas.

SAVVAS realize. Conéctate en línea a tu lección digital interactiva.

157

Lo que tenemos en común

Los ciudadanos de las comunidades, el estado y el país son similares. Todos quieren ayudar a los demás. Actúan según sus creencias. Estos ciudadanos contribuyen de diferentes maneras.

Los voluntarios ayudan a las personas en las comunidades. Dan alimentos y ropa a las personas. Ayudan a las personas a hallar una vivienda.

Los líderes de nuestro estado son ciudadanos. Trabajan para ayudar a otros ciudadanos de nuestro estado. Se aseguran de que tengamos servicios como buenas escuelas y caminos seguros.

Los ciudadanos de nuestro país también ayudan a los demás. Hoy en día, los líderes de nuestro país quieren justicia. Se aseguran de que las leyes sean justas e iguales para todas las personas.

3. **Identifica** otros ciudadanos que han sido un ejemplo de buena ciudadanía. **Describe** las maneras en que ayudan a los demás.

TEKS 2.B, 2.C, 13.B, 13.C

4. ◉ **Comparar y contrastar** ¿En qué se parecían las vidas y las actividades de Eleanor Roosevelt y Richard Allen? ¿En qué se diferenciaban?

5. ¿Qué tienen en común muchas personas de la comunidad, el estado y el país?

mi Historia: Ideas

6. **Escribe** tres oraciones. Usa una hoja aparte. **Identifica** cómo los ciudadanos ayudan a las personas en la comunidad, el estado y el país. **Cuenta** sobre el individualismo. **Di** cómo muestran que son buenos ciudadanos.

7. **Habla** con un compañero. **Di** de qué manera Richard Allen mostró individualismo e inventiva, o nuevas ideas y maneras de hacer las cosas.

SAVVAS realize. Conéctate en línea a tu lección digital interactiva.

159

Texas

Lección 6

Las celebraciones de nuestra nación

¡Imagínalo!

Encierra en un círculo las cosas de la ilustración que muestran una celebración.

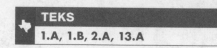

TEKS
1.A, 1.B, 2.A, 13.A

Un **héroe** es alguien que se esfuerza para ayudar a los demás. Recordamos a los héroes nacionales en los días festivos. También recordamos eventos o acontecimientos especiales en los días festivos.

Los buenos ciudadanos ayudan a las personas en la comunidad, el estado y el país. ¡Ellos también pueden ser héroes!

1. ¿Por qué recordamos a nuestros héroes?

_____

_____

_____

_____

160

Aprenderé que celebramos para honrar a personas y acontecimientos del pasado de la nación.

Vocabulario

héroe   presidente
nación   colonia

Héroes de nuestra nación

Hace mucho tiempo, los soldados estadounidenses lucharon en una guerra. Para recordar el fin de la guerra, se creó un día festivo llamado Día del Armisticio. Las personas también querían honrar a los soldados de otras guerras. En 1954 ese día festivo cambió de nombre: ahora es el Día de los Veteranos de Guerra. Los veteranos de guerra son los hombres y las mujeres que lucharon por nuestro país. Honramos a esos valientes en noviembre. En el Día de los Veteranos de Guerra se dan discursos. También hay desfiles.

2. **Subraya** la razón por la que este día festivo pasó a ser el Día de los Veteranos de Guerra.

George Washington

Abraham Lincoln

Héroes de la libertad

George Washington fue un héroe. Hace mucho tiempo, fue el líder del ejército de nuestro país. Ayudó a nuestra nación a ser independiente, o libre.

Washington fue nuestro primer **presidente,** o líder de nuestro país. Lo recordamos el Día de los Presidentes, en febrero.

Abraham Lincoln también fue un héroe de la libertad. Lincoln fue presidente durante una guerra en nuestro país. En esa época, muchos afroamericanos no eran libres. Lincoln ayudó a que fueran libres.

3. **Encierra** en un círculo el nombre de un héroe sobre el que hayas leído. **Subraya** una contribución de ese héroe a nuestro país.

Héroes de la justicia

Martin Luther King Jr. es uno de nuestros héroes. Lo recordamos con un día festivo en enero. King quería que todos los estadounidenses tuvieran los mismos derechos, o igualdad de derechos. King trabajó por la justicia. Se aseguró de que las leyes de nuestra nación fueran justas para todos. Una **nación** es un grupo de personas que tienen un gobierno.

King pidió a nuestros líderes que cambiaran las leyes injustas. Los hizo cumplir su palabra. Después de su muerte, se aprobaron leyes. Esas leyes dieron a los afroamericanos igualdad de derechos.

4. **Escribe** una contribución de Martin Luther King Jr. a nuestro país.

Martin Luther King Jr.

Días festivos de nuestra nación

Celebramos y observamos el pasado de nuestra nación los días festivos. El Día de Acción de Gracias es un día festivo. El Día de la Independencia es otro.

Hace mucho tiempo, llegaron a esta tierra personas de Inglaterra para establecer colonias. Una **colonia** es una tierra gobernada por otro país.

Celebración del Día de la Independencia junto a la Estatua de la Libertad

Muchas personas de las colonias no querían que las gobernara otro país. Los líderes votaron la Declaración de Independencia el 4 de julio de 1776. La declaración decía que las colonias querían ser libres.

Celebramos el Día de la Independencia el 4 de julio. En el pasado, las personas celebraban el Día de la Independencia dando campanadas. También se hacían desfiles y se daban discursos. Hoy en día, también tenemos desfiles y discursos. Además, vamos de picnic y vemos fuegos artificiales.

5. ◉ **Comparar y contrastar** <u>Subraya</u> las diferencias en la manera de celebrar el Día de la Independencia del pasado a hoy.

¿Entiendes?

TEKS 1.A, 1.B, 2.A, 13.A

6. ◉ **Idea principal y detalles** ¿Cuál es el origen del Día de la Independencia?

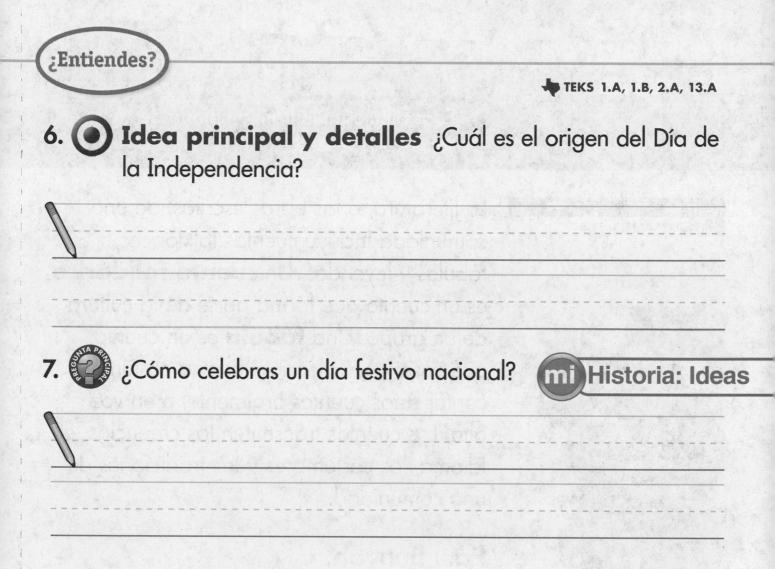

7. ¿Cómo celebras un día festivo nacional? mi Historia: Ideas

8. Escribe un relato sobre el Dr. King. Usa una hoja aparte. **Di** por qué fue un buen ciudadano.

Cuentos folklóricos y fábulas

¡Imagínalo!

Estos dibujos muestran la historia de Johnny Appleseed.

TEKS
15.B, 17.B, 18.A, 18.B

La literatura, o las obras escritas, de una comunidad incluye cuentos folklóricos, fábulas y leyendas. Un **cuento folklórico** es un cuento que forma parte de la cultura de un grupo. Una **fábula** es un cuento que enseña una lección. Es una costumbre contar estos cuentos oralmente, o en voz alta. Los cuentos transmiten las creencias, el idioma, las costumbres y las tradiciones de una comunidad.

Paul Bunyan

Los cuentos folklóricos hablan sobre personajes inventados, como Paul Bunyan y su buey azul, Babe. Paul era grande y fuerte. Cortaba árboles. ¡Sus huellas hicieron pozos que se llenaron de agua de lluvia y formaron lagos!

1. **Subraya** una costumbre de contar cuentos.

Haz un dibujo de lo que crees que Johnny hará después.

DESCIFRA LA PREGUNTA PRINCIPAL

Aprenderé la diferencia entre un cuento folklórico y una fábula.

Vocabulario

cuento folklórico

fábula

John Henry

Muchos cuentos folklóricos y fábulas tienen un lenguaje variado. La historia de John Henry es sobre una persona inventada. John Henry ayudó a construir el ferrocarril. Con su martillo clavaba alcayatas en las rocas. Era el más rápido para esa tarea. También era fuerte. Un día le dijeron que las vías debían atravesar una montaña. La gente pensó que un taladro de vapor sería más rápido que John Henry. Pero John Henry sabía que él era más rápido. John martilló y martilló: *pum, pum pum.* ¡Y venció al taladro a vapor!

2. ◉ **Comparar y contrastar**
Subraya similitudes entre John Henry y Paul Bunyan.

Las fábulas de Esopo

Contar cuentos folklóricos, fábulas y leyendas es una costumbre y tradición en muchas comunidades. Las leyendas reflejan las creencias de las comunidades. Vienen de las tradiciones de cada comunidad. Las fábulas enseñan lecciones sobre las creencias de una comunidad.

La hormiga y el saltamontes es una fábula acerca de dos amigos. La hormiga trabajaba mucho. Al saltamontes le gustaba jugar. La hormiga guardaba alimento para el invierno. La hormiga veía que el saltamontes no trabajaba. Le aconsejó que guardara comida. Pero el saltamontes no lo hizo.

Cuando llegó el invierno, la hormiga tenía alimento. Su amigo, el saltamontes, no tenía nada para comer. Y tenía hambre. El saltamontes aprendió una lección de la hormiga. ¡Es importante trabajar mucho y estar preparados!

3. **Subraya** una creencia de una comunidad que se enseña en el cuento de la hormiga y el saltamontes. Explica a un compañero cómo las fábulas enseñan lecciones sobre las creencias de una comunidad.

4. ⊙ **Comparar y contrastar** ¿En qué se diferencian la hormiga y el saltamontes?

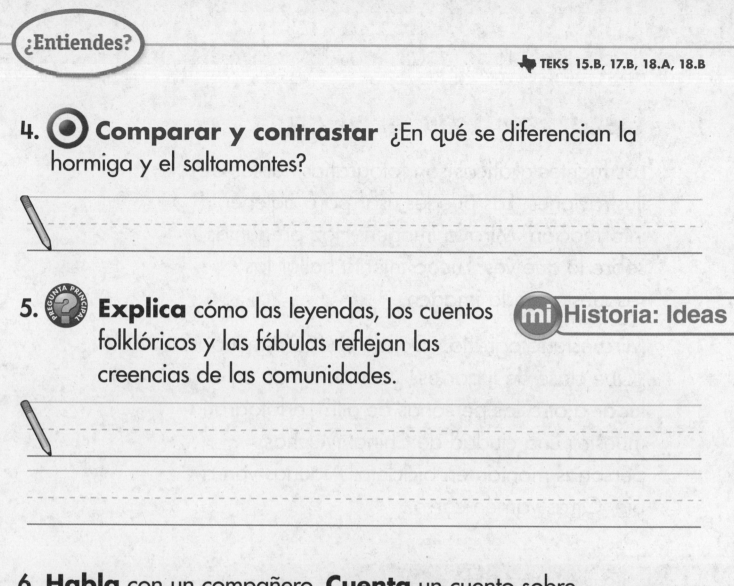

5. ❓ **Explica** cómo las leyendas, los cuentos folklóricos y las fábulas reflejan las creencias de las comunidades.

mi Historia: Ideas

6. **Habla** con un compañero. **Cuenta** un cuento sobre una experiencia que hayas vivido con tu familia.

7. **Lee** literatura, como leyendas, cuentos folklóricos y las fábulas de Esopo. **Haz un dibujo** de tu cuento favorito en una hoja aparte. **Vuelve a contar** el cuento a un compañero. Usa un lenguaje variado.

 SAVVAS realize. Conéctate en línea a tu lección digital interactiva.

169

Usar fuentes gráficas

Las fuentes gráficas son fotografías, tablas o ilustraciones. Las puedes usar para obtener información. Mira la imagen. Haz preguntas sobre lo que ves. Luego intenta hallar las respuestas en la imagen.

Mira esta fotografía. ¿Dónde queda este lugar? ¿Qué clase de lugar es? ¿Cómo van de un lugar a otro las personas de allí? La fotografía muestra una ciudad de China. Muchas personas montan en bicicleta. Algunas van a pie. Otras van en carro.

TEKS

ES 6.C Identificar y describir cómo las características humanas de lugar, tales como las actividades, se basan en un lugar geográfico.

ES 17.B Obtener información utilizando fuentes visuales tales como Imágenes.

ES 18.B Interpretar materiales visuales.

SLA 14.D Usar las características de un texto (ej. ilustraciones) para localizar información específica en el texto.

¡Inténtalo!

Mira la fotografía de abajo. **Escribe** lo que ves.

1. ¿Qué clase de lugar es?

_____

2. ¿Cómo van las personas de un lugar a otro?

_____

Práctica de TEKS

Lección 1 TEKS 6.C

1. **Dibuja** un tipo de ropa que podrían usar las personas que viven en un lugar frío.

Lección 2 TEKS 15.A

2. **Comparar y contrastar** **Escribe** una similitud entre las familias. **Escribe** una diferencia entre las familias.

Similitud:

Diferencia:

3. **Une** con una línea cada palabra sobre cultura con su fotografía.

tradición   música   idioma

4. **Encierra** en un círculo dos celebraciones que muestren costumbres y tradiciones.

Lección 5 ⭐ TEKS 2.C, 13.A, 13.C

5. Mira la foto. **Completa** el espacio en blanco.

Los buenos ciudadanos _____

Lección 6 ⭐ TEKS 2.A

6. Escribe sobre los logros de un héroe.

_____

_____

Lección 7 ⭐ TEKS 15.B

7. Encierra en un círculo la mejor respuesta para completar la oración.

El cuento de la hormiga y el saltamontes es

A una fábula.   **C** un cuento verdadero.

B un cuento folklórico.   **D** una canción.

Conéctate en línea para escribir e ilustrar tu **myStory Book** usando **miHistoria: Ideas** de este capítulo.

¿Cómo se comparte la cultura?

TEKS
**ES 15.A, 18.B
SLA 17**

En este capítulo aprendiste sobre las personas y las culturas de muchos lugares.

Piensa en tu propia cultura.

Dibuja una costumbre de tu familia. **Rotula** tu dibujo.

SAVVAS realize. Conéctate en línea a tu lección digital interactiva.

175

Nuestro pasado, nuestro presente

mi Historia: ¡Despeguemos!

PREGUNTA PRINCIPAL

¿Cómo cambia la vida a lo largo de la historia?

Dibuja lo que verías si pudieras viajar al pasado.

mi Historia: Video

🦅 Conocimiento y destrezas esenciales de Texas

2.A Identificar las contribuciones de personajes históricos, incluyendo a Sam Houston, George Washington, Abraham Lincoln y Martin Luther King Jr., quienes han influenciado la comunidad, el estado y la nación.

2.B Identificar personajes históricos tales como Alexander Graham Bell, Thomas Edison, Garrett Morgan, Richard Allen y otros individuos que han exhibido características de individualismo (peculiaridad) e inventiva.

2.C Comparar las similitudes y diferencias entre las vidas y las actividades de los personajes históricos y de otros individuos que han influenciado la comunidad, el estado y la nación.

3.A Distinguir entre pasado, presente y futuro.

3.B Describir y medir el tiempo en el calendario, en días, semanas, meses y años.

3.C Crear un calendario y líneas cronológicas simples.

13.B Identificar personajes históricos tales como Benjamin Franklin, Francis Scott Key y Eleanor Roosevelt quienes han sido un ejemplo de buena ciudadanía.

16.A Describir cómo la tecnología cambia las formas de vida de las familias.

16.B Describir cómo la tecnología cambia los medios de comunicación, los medios de transporte y la recreación.

16.C Describir cómo la tecnología cambia la manera en que la gente trabaja.

17.A Obtener información sobre algún tópico, utilizando una variedad de fuentes auditivas tales como conversaciones, entrevistas y música.

17.B Obtener información sobre algún tópico, utilizando una variedad de fuentes visuales tales como imágenes, símbolos, comunicación electrónica de los diferentes medios, mapas, literatura y artefactos.

17.C Ordenar en secuencia y categorizar la información.

18.B Crear e interpretar materiales visuales y escritos.

♫ Empecemos con una canción

Explosión de tecnología

Canta con la melodía de "The More We Get Together".

Hay mucha diferencia

en la correspondencia.

Periódicos y cartas

dan paso a Internet.

Antes los fonógrafos

tocaban discos.

Hoy los auriculares

se usan, más bien.

Conéctate en línea a tu lección digital interactiva.

Vistazo al vocabulario

reloj

calendario

pasado

presente

futuro

historia

Identifica y **encierra** en un círculo ejemplos de estas palabras en la ilustración.

documento

explorador

electricidad

invento

comunicarse

medio de transporte

Medir el tiempo

Pon la letra *A* al lado del perro viejo.
Pon la letra *B* al lado del perro joven.

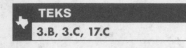

TEKS
3.B, 3.C, 17.C

Podemos **medir** el tiempo, o dividirlo, de muchas maneras. Hablamos del día y la noche. Durante el día, vas a la escuela. Afuera está claro. Por la noche, vas a dormir. Afuera está oscuro.

También medimos el tiempo en días y en semanas. Hay 7 días en una semana. De lunes a viernes, vas a la escuela. Los sábados y los domingos, te quedas en casa.

Además, medimos el tiempo en meses y en años. Hay 12 meses en un año.

día

noche

DESCIFRA LA PREGUNTA PRINCIPAL

Aprenderé que usamos relojes y calendarios para medir el tiempo.

Vocabulario

medir

reloj

calendario

Los relojes miden el tiempo

Los relojes nos ayudan a medir el tiempo. Un **reloj** muestra los segundos, los minutos y las horas. Usamos los relojes para saber la hora del día o la noche.

Algunos relojes tienen manecillas. Una manecilla marca las horas. Otra manecilla marca los minutos. Algunos relojes también tienen una manecilla que marca los segundos. Otros relojes muestran la hora con números.

1. **Subraya** las palabras en estas dos páginas que se usan para medir el tiempo.

SAVVAS realize Conéctate en línea a tu lección digital interactiva.

181

Los calendarios miden el tiempo

Un **calendario** es una tabla. Muestra los días, las semanas y los meses del año. El nombre del mes está en la parte de arriba del calendario. Cada recuadro es un día.

El calendario nos ayuda a saber cuáles son los días especiales. Algunos recuadros tienen dibujos o palabras que muestran los días especiales.

2. ◉ **Secuencia** (Encierra) en un círculo el primer día del mes en este calendario. Luego añade los días especiales, las celebraciones familiares y las actividades que haces en mayo.

MAYO

Domingo	Lunes	Martes	Miércoles	Jueves	Viernes	Sábado
1	2	3	4	5	6	7
8	9	10	11	12	13	14
15	16	17	18	19	20	21
22	23	24	25	26	27	28
29	30 Día de los Caídos	31				

3. ◉ **Comparar y contrastar** **Escribe** en qué se parecen los relojes y los calendarios. **Escribe** en qué se diferencian.

4. ¿Cómo te ayuda un calendario a medir el tiempo?

mi Historia: Ideas

5. **Crea** un calendario. Usa una hoja aparte. **Escribe** los días especiales del mes. Muestra las celebraciones familiares. Muestra también los días festivos locales, estatales y nacionales. **Dibuja** símbolos en el calendario que representen los días especiales. **Describe** cómo mides el tiempo en tu calendario. **Cuéntale** a un compañero.

Secuencia

Una secuencia es el orden en el que ocurren las cosas. Usamos palabras clave para mostrar el orden. Algunas palabras clave son *primero*, *luego* y *por último*.

Mira las ilustraciones. Luego lee las oraciones de abajo. Fíjate que cada oración describe una ilustración.

Keisha estuvo ocupada en la escuela.

Primero, leyó un libro.

Luego, estudió sobre los imanes.

Por último, jugó un juego.

Primero   **Luego**   **Por último**

TEKS

ES 17.C Ordenar en secuencia y categorizar la
información.
SLA 14.C Volver a contar el orden de los eventos de un
texto haciendo alusión a las palabras y/o ilustraciones.

¡Inténtalo!

1. **Lee** el párrafo sobre lo que hizo Carlos el sábado.
   Subraya las palabras que describen lo que
   ocurrió primero, luego y por último.

   Carlos se divirtió el sábado.
   Primero, montó en bicicleta. Luego, ordenó
   las tarjetas de deportistas. Por último,
   jugó con su gato.

2. **Rotula** las ilustraciones con las palabras *primero*,
   luego y *por último*.

_____   _____   _____

Texas

Lección 2

Hablar sobre el tiempo

Mira las imágenes de los carros.
Rotúlalas con las palabras Viejo o Nuevo.

TEKS
3.A, 17.B, 17.C

El **presente** es lo que ocurre hoy día. *Ahora* describe el presente.

El **pasado** es lo que ocurrió antes de hoy. *Antes* describe el pasado.

El **futuro** es lo que ocurrirá después de hoy. *Mañana* describe el futuro.

Las personas y los lugares cambian con el tiempo. La niña de la ilustración cambió con el tiempo. En el pasado, tenía 4 años de edad. Antes era más bajita. Ahora es más alta.

1. **Subraya** las palabras que describen tiempo.

La escuela, antes y ahora

En el pasado, las escuelas no eran como las escuelas de ahora. Los niños de todas las edades estaban en el mismo salón de clase. Algunos niños no iban a la escuela.

Hoy día van muchos más niños a la escuela. Los niños de la misma edad tienen su propio salón de clase. Hay aparatos nuevos, como las computadoras, que ayudan a los niños a aprender.

2. ⊙ **Comparar y contrastar**
   Encierra en un círculo las cosas de la foto que cambiaron del pasado al presente.

Las comunidades, antes y ahora

Las comunidades cambian con el tiempo. Hoy día, hay más carros, casas y personas. Los edificios son más altos que en el pasado.

Mira estas fotos. Una foto muestra una comunidad del pasado. La otra foto muestra la misma comunidad en el presente.

3. **Encierra** en un círculo una cosa de las fotos que cambió del pasado al presente.

La **historia** cuenta el pasado de las personas y los lugares. También cuenta sucesos o acontecimientos que pasaron hace mucho tiempo. Algunas comunidades hacen desfiles para celebrar su historia.

¿Entiendes?

🔹 TEKS 3.A

4. ⊙ **Comparar y contrastar Escribe** cómo has cambiado con el tiempo.

El año pasado, yo _____

_____

Ahora, yo _____

5. ❓ ¿Te gustaría viajar al pasado o al futuro? ¿Por qué?

mi **Historia: Ideas**

_____

_____

_____

6. Usa una hoja aparte. **Haz** tres dibujos de alguna cosa del pasado. Muéstrala en el pasado, en el presente y cómo podría ser en el futuro.

Líneas cronológicas

Una línea cronológica muestra el orden de los sucesos. Se lee de izquierda a derecha. El suceso más antiguo está a la izquierda. El suceso más nuevo está a la derecha. La línea cronológica de abajo muestra cuatro sucesos en la vida de Anila.

¿Qué ocurrió en 2015? Primero, busca ese año en la línea cronológica. Coloca el dedo en ese año. Luego mira la ilustración y las palabras que hay debajo de 2015. Anila aprendió a escribir en 2015.

Línea cronológica de la vida de Anila

| 2009 | 2010 | 2011 | 2012 |

Nazco.

Monto en triciclo.

Objetivo de aprendizaje

Aprenderé a leer una línea cronológica.

TEKS

ES 3.C Crear líneas cronológicas simples.
ES 17.C Ordenar en secuencia la información.

¡Inténtalo!

1. ¿Qué podía hacer Anila en 2011?

_____

2. **Encierra** en un círculo el suceso de la línea cronológica que ocurrió primero.

3. **Crea** una línea cronológica como la de Anila. Muestra sucesos importantes.

| 2013 | 2014 | 2015 | 2016 |

Nace mi hermano.   Aprendo a escribir.

¡Imagínalo!

¿Cómo aprendemos acerca de la historia?

Las fotos nos pueden mostrar cómo era la vida en el pasado.

TEKS
17.A, 17.B, 17.C, 18.B

Hay muchas maneras de aprender historia. Puedes entrevistar a personas, o hacerles preguntas. Puedes tener una conversación, o charla, sobre el pasado.

Puedes aprender con un **documento,** o un papel con palabras. Las fotos muestran cómo eran las personas y los lugares. Las canciones cuentan cómo se sentían las personas. Los artefactos, u objetos hechos por las personas, muestran cosas que se usaban en el pasado.

1. ⊙ **Idea principal y detalles**
   <u>Subraya</u> maneras en que obtenemos información sobre el pasado.

Aprenderé cómo las fuentes primarias y secundarias describen la historia.

Vocabulario

documento
fuente primaria
fuente secundaria

Dibuja lo que aprendiste sobre tu pasado al ver una foto vieja.

Fuentes primarias

Podemos categorizar, o agrupar, las maneras de aprender sobre el pasado. Los documentos y las fotos son fuentes primarias u originales. Una **fuente primaria** está hecha o está escrita por una persona que estuvo en un suceso.

Un mapa es una fuente primaria. Puede mostrar cómo era un lugar en el pasado. Una carta también es una fuente primaria. Podemos leerla para conocer el pasado.

2. Encierra en un círculo una fuente primaria en esta página.

UNITED · STATES · LINES

On Board S. S. *American Importer*
Dec. 30, 1935

Dear Senator Moore:

(carta manuscrita)

Fuentes secundarias

Una **fuente secundaria** también cuenta algo sobre personas, lugares y sucesos del pasado. Estas fuentes se escribieron o se hicieron después de que ocurrió el suceso. Tus libros escolares y los libros de la biblioteca son fuentes secundarias.

3. **Subraya** una fuente secundaria.

Usar fuentes

¿Cómo sabes si una fuente dice la verdad? Puedes hacer preguntas sobre esa fuente. ¿De dónde viene la información? ¿Quién escribió la fuente? ¿Cuándo se hizo la fuente? ¿Por qué se hizo la fuente?

También puedes leer muchas fuentes. Luego ves si los hechos son los mismos. Las buenas fuentes dan los mismos hechos.

4. **Subraya** dos maneras de saber si lo que dice una fuente es verdad.

5. ⊙ **Comparar y contrastar Completa** la tabla para mostrar en qué se diferencian una foto y una carta sobre un suceso pasado.

	Foto	Carta
Similitudes	fuente primaria	fuente primaria
Diferencias		

6. ❓ Quieres viajar a una época del pasado. ¿Cómo puedes saber más sobre esa época antes de viajar?

mi Historia: Ideas

7. Busca un artefacto. Puede ser un juguete viejo, una herramienta o un objeto del pasado. **Piensa** en lo que puede decirte sobre personas, lugares o cosas del pasado. **Habla** del objeto con un compañero.

Héroes estadounidenses

Algunas monedas muestran personas importantes del pasado.

TEKS
2.A, 2.C, 17.B, 18.B

Los héroes son personas que trabajan mucho para ayudar a otros. Son honestos. Se puede confiar en ellos. Son valientes y se enfrentan a peligros. Toman el mando. Son responsables.

Los héroes exploran

Algunos héroes son exploradores. Un **explorador** es una persona que viaja para aprender sobre lugares nuevos. Los exploradores van a lugares que casi nadie conoce. Van a nuevas tierras. Van al fondo del océano. ¡Hasta van al espacio!

DESCIFRA LA PREGUNTA PRINCIPAL ? Aprenderé sobre las personas que ayudaron a nuestro país en el pasado.

Vocabulario

explorador

Dibuja tu propia moneda en la que muestres a una persona importante.

Hace mucho tiempo, nadie sabía qué tan grande era nuestro país. Meriwether Lewis y William Clark fueron a averiguarlo. Eran exploradores. Lewis y Clark volvieron y contaron a otras personas lo que habían visto.

Le pidieron ayuda a una indígena norteamericana llamada Sacagawea. En el viaje, conocieron a otros indígenas que no hablaban inglés. Sacagawea los ayudó a entenderse con ellos.

1. **Subraya** los nombres de dos exploradores.

 SAVVAS realize™ Conéctate en línea a tu lección digital interactiva.

197

Thomas Jefferson

Harriet Tubman

Los héroes toman el mando

Hay muchos héroes en la historia de nuestro país. Thomas Jefferson escribió la Declaración de Independencia. Ese documento decía que nuestro país debía ser libre. Más adelante, Thomas Jefferson fue uno de nuestros presidentes.

Harriet Tubman era afroamericana. Hace mucho tiempo, las personas afroamericanas no eran libres. Harriet Tubman se escapó para ser libre. Luego ayudó a más de 300 personas a ser libres. Cuando Abraham Lincoln fue presidente, ayudó a todos los afroamericanos a obtener su libertad.

2. ◉ **Idea principal y detalles** Subraya un detalle que diga cómo Harriet Tubman ayudó a otras personas.

TEKS 2.C, 18.B

3. **Causa y efecto** Escoge una de las personas sobre las que leíste. ¿Cómo cambió este héroe la vida de otras personas?

_____

_____

_____

_____

4. **PREGUNTA PRINCIPAL** ¿A qué héroe del pasado te gustaría conocer? ¿Por qué?

mi Historia: Ideas

_____

_____

_____

_____

_____

5. **Dibuja** un diagrama de Venn. Usa una hoja aparte. **Escribe** el nombre de un héroe sobre cada círculo. **Haz una lista** de los detalles sobre sus vidas y actividades. **Escribe** las similitudes y las diferencias entre sus contribuciones.

Inventores estadounidenses

Encierra en un círculo las cosas que hacen más sencilla nuestra vida.

TEKS
2.B, 2.C, 13.B, 17.B, 18.B

Benjamin Franklin

Los **inventores** son personas que piensan en cosas nuevas o en nuevas maneras de hacer las cosas. Piensan por ellos mismos y no dependen de otros.

Benjamin Franklin

Benjamin Franklin pensaba que las personas tenían que pensar por sí mismas. Fundó una de las primeras bibliotecas de la nación. Además, fundó hospitales y cuerpos de bomberos. Franklin también inventó una estufa que calentaba las casas mejor que un hogar a leña.

1. **Encierra** en un círculo la idea principal del texto de arriba.

Alexander Graham Bell

Alexander Graham Bell inventó cosas útiles, como el teléfono. También ayudó a las personas que no podían oír a aprender a hablar.

Thomas Edison

Thomas Edison también inventó cosas útiles. Creó un foco eléctrico para iluminar los hogares. Creó el fonógrafo, o reproductor de grabaciones. Grababa sonidos.

2. ⊙ **Comparar y contrastar**
Subraya las similitudes entre Bell y Edison.

Alexander Graham Bell

Thomas Edison

SAVVAS realize™   Conéctate en línea a tu lección digital interactiva.

201

Garrett Morgan

Garrett Morgan

A Garrett Morgan le gustaba inventar cosas útiles. Además, le interesaba la seguridad de las personas.

Morgan fue un pensador independiente. Vio cómo apagaban los incendios los bomberos. Vio que respirar el humo les hacía mal.

Morgan inventó una capucha de seguridad que protegía contra el humo. La usó para salvar a unas personas que estaban atrapadas en un túnel. La capucha evitó que respirara gases peligrosos. Vendió su invento a los cuerpos de bomberos de nuestro país.

Morgan hizo otro invento relacionado con la seguridad. Era un semáforo.

3. **Subraya** la razón por la que Garrett Morgan inventaba cosas.

4. ⊙ **Causa y efecto** ¿Por qué los cuerpos de bomberos compraron la capucha de seguridad de Garrett Morgan?

_____

_____

_____

5. ❓ ¿Cómo han mejorado los inventos a lo largo del tiempo?

mi Historia: Ideas

_____

_____

_____

6. **Escoge** un inventor y un invento sobre el que has leído. **Haz un dibujo** del invento. Usa una hoja aparte. **Escribe** sobre el inventor. **Di** por qué es importante su invento.

7. **Habla** con un compañero. Di cómo Benjamin Franklin mostró que era un buen ciudadano.

SAVVAS
realize™ Conéctate en línea a tu lección digital interactiva.

203

La vida, antes y ahora

¡Imagínalo!

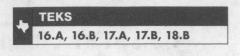

¿Qué bicicleta es del pasado? ¿Qué bicicleta es del presente?

TEKS
16.A, 16.B, 17.A, 17.B, 18.B

Hace mucho tiempo, las familias usaban lámparas de aceite para tener luz. No había electricidad. La **electricidad** es un tipo de energía. Hoy día, las lámparas usan electricidad.

La electricidad fue un invento importante. Un **invento** es algo que se hace por primera vez.

Los inventos y la tecnología cambian la forma de vida de las familias. Hace mucho, las personas lavaban la ropa a mano. Hoy día, usamos lavadoras que funcionan con electricidad. Este invento hace la vida más fácil.

Escribe Pasado o Presente al lado de cada bicicleta.

La vida diaria, antes y ahora

Las personas necesitan alimentos, ropa y vivienda. Hace mucho tiempo, muchas personas cultivaban sus propios alimentos. También hacían su propia ropa. Construían casas para sus familias.

Hoy día, obtenemos lo que necesitamos de otras maneras. Casi todos compramos la comida y la ropa en tiendas. Vivimos en casas que construyen otras personas.

1. ◉ **Idea principal y detalles**
   (Encierra) en un círculo la idea principal en el segundo párrafo. **Subraya** los detalles.

SAVVAS realize™ Conéctate en línea a tu lección digital interactiva.

205

La escuela, el trabajo y los juegos

Hace mucho, algunos niños iban a la escuela. Otros aprendían en casa. La mayoría de los niños tenían quehaceres. Recogían leña para calentar y cocinar. Iban a buscar agua. Después de los quehaceres, los niños jugaban juegos sencillos. La tecnología cambió la recreación. Hoy día, jugamos en la computadora.

2. **Subraya** cómo la tecnología cambió la recreación.

Las familias, antes y ahora

Cada familia tiene una historia. Puedes mirar fotos para saber más sobre el pasado de tu familia. Puedes entrevistar a miembros de tu familia para saber sobre el pasado. Averigua cómo eran la escuela, el trabajo y los juegos.

3. **Escribe** una manera de conocer la historia de tu familia.

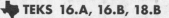
4. ⊙ **Comparar y contrastar Completa** la tabla. **Escribe** cómo ha cambiado la vida del pasado al presente.

Pasado	Presente
lámpara de aceite	*electricidad*
Hacían la ropa.	
Cultivaban alimentos.	

5. ¿Qué cosa crees que ha cambiado más del pasado al presente?

mi Historia: Ideas

6. **Haz dos dibujos.** Usa una hoja aparte. Primero, haz un dibujo de cómo la tecnología ha cambiado la forma de vida de tu familia. Luego, haz un dibujo de cómo la tecnología ha cambiado la recreación, o las actividades que haces. **Describe** cada dibujo a un compañero.

 SAVVAS realize Conéctate en línea a tu lección digital interactiva.

207

La tecnología, antes y ahora

¡Imagínalo!

Encierra en un círculo las maneras de comunicarte con tus amigos.

TEKS
16.B, 16.C, 17.B, 18.B

¿Cómo hablas con los amigos que viven lejos? Puedes llamarlos. Puedes tomar un autobús para visitarlos. Hace mucho tiempo, no se podía hacer esas cosas.

La comunicación, antes

Comunicarse es compartir información con otros. Hace mucho, las personas no tenían teléfono. Se enviaban cartas. Era una manera lenta de comunicarse. Las cartas se enviaban a caballo. ¡Tardaban semanas en llegar!

UNITED · STATES · LINES

On Board S. S. *American Importer*
Dec. 30, 1935

Dear Senator Moore:

DESCIFRA LA PREGUNTA PRINCIPAL

Aprenderé cómo la comunicación y el transporte han cambiado con el tiempo.

Vocabulario

comunicarse   medio de
correo   transporte
electrónico

La comunicación, ahora

La tecnología cambia la manera en que nos comunicamos. Los aviones llevan cartas por todo el mundo. Ahora, las cartas tardan pocos días en llegar.

Podemos usar computadoras para comunicarnos. Un **correo electrónico** es un mensaje que se envía por computadora. ¡El mensaje tarda segundos en llegar!

La tecnología también cambia la manera en que trabajamos. Usamos computadoras para conectarnos a Internet. Nos ayuda a trabajar y comunicarnos.

1. **Subraya** las palabras que describen la tecnología que usamos.

SAVVAS realize. Conéctate en línea a tu lección digital interactiva.

209

Los medios de transporte, antes

Los **medios de transporte** son la manera en que vamos de un lugar a otro. Hace mucho tiempo, no había carros ni trenes. Para ir de un lugar a otro, había que hacerlo a caballo o a pie. Algunas personas viajaban en carretas tiradas por caballos. También viajaban por agua en barcos pequeños. Un viaje largo tardaba meses.

Los medios de transporte, ahora

Los medios de transporte son mucho más rápidos hoy día. Usamos carros, autobuses y trenes. Viajamos por agua en barcos grandes. Para visitar un lugar lejano, podemos ir en avión. Los carros, los trenes y los aviones son rápidos. Hoy día, podemos viajar muy lejos en un solo día.

2. ◉ **Idea principal y detalles** Encierra en un círculo la idea principal en el párrafo de arriba. **Subraya** dos detalles.

3. 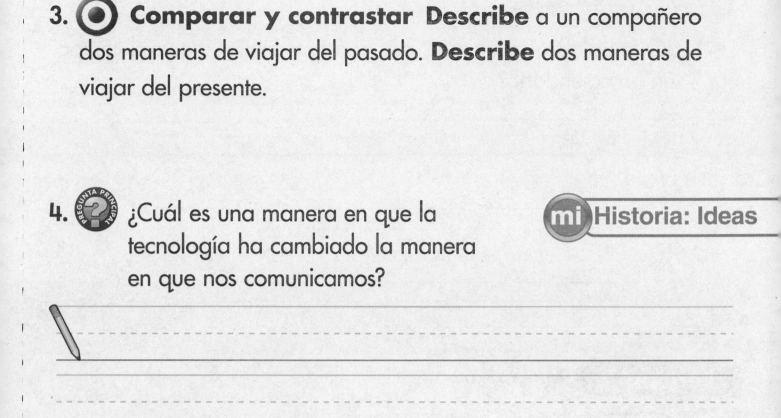 **Comparar y contrastar** **Describe** a un compañero dos maneras de viajar del pasado. **Describe** dos maneras de viajar del presente.

4. ¿Cuál es una manera en que la tecnología ha cambiado la manera en que nos comunicamos?

mi Historia: Ideas

_____

- -

_____

- -

_____

5. **Haz** una tabla. Usa una hoja aparte. Arriba **escribe** *Medios de transporte* y *Comunicación*. **Haz dibujos** que muestren ejemplos de cada palabra. **Habla** con un compañero. **Describe** cómo la tecnología ha cambiado la manera en que las personas viven y trabajan.

6. **Habla** con un compañero. **Di** cómo obtenemos información de medios electrónicos, como computadoras y televisores.

SAVVAS realize. Conéctate en línea a tu lección digital interactiva.

211

Práctica de TEKS

Lección 1

TEKS 3.B, 3.C

1. ¿Qué palabras podemos usar para describir y medir el tiempo en un calendario?

Lección 2

TEKS 3.A, 17.C

2. **Encierra** en un círculo las palabras que se usan para hablar del tiempo.

antes	mañana	escuela
hoy día	casa	pasado
amigos	ahora	presente
hace mucho tiempo	futuro	ropa

3. **Secuencia Escribe** la palabra que sigue.

pasado, presente, __________

4. Une con una línea cada palabra con la imagen correcta.

foto

documento

5. ¿Qué similitudes hay entre las contribuciones de Abraham Lincoln y Harriet Tubman?

Lección 5 TEKS 2.B, 13.B

6. ¿Qué similitud hay entre los inventores sobre los que leíste?

_____

_____

_____

Lección 6 TEKS 16.A

7. **Completa** la oración. **Escribe** una diferencia entre la vida en el pasado sin tecnología y la vida de hoy día.

Hace mucho tiempo, _____

_____

_____

Lección 7 TEKS 16.B

8. **Lee** la pregunta y **encierra** en un círculo la mejor respuesta.

¿Qué medio de transporte usa la tecnología más moderna?

A caballo   C avión

B carreta   D bicicleta

my Story Book

PREGUNTA PRINCIPAL

¿Cómo cambia la vida a lo largo de la historia?

Piensa en tu viaje al pasado.

Dibuja algo que "viste" en el pasado.

Conéctate en línea para escribir e ilustrar tu **myStory Book** usando **miHistoria: Ideas** de este capítulo.

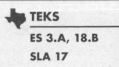

TEKS
ES 3.A, 18.B
SLA 17

SAVVAS realize Conéctate en línea a tu lección digital interactiva.

215

Atlas

Estados Unidos de América: Mapa político

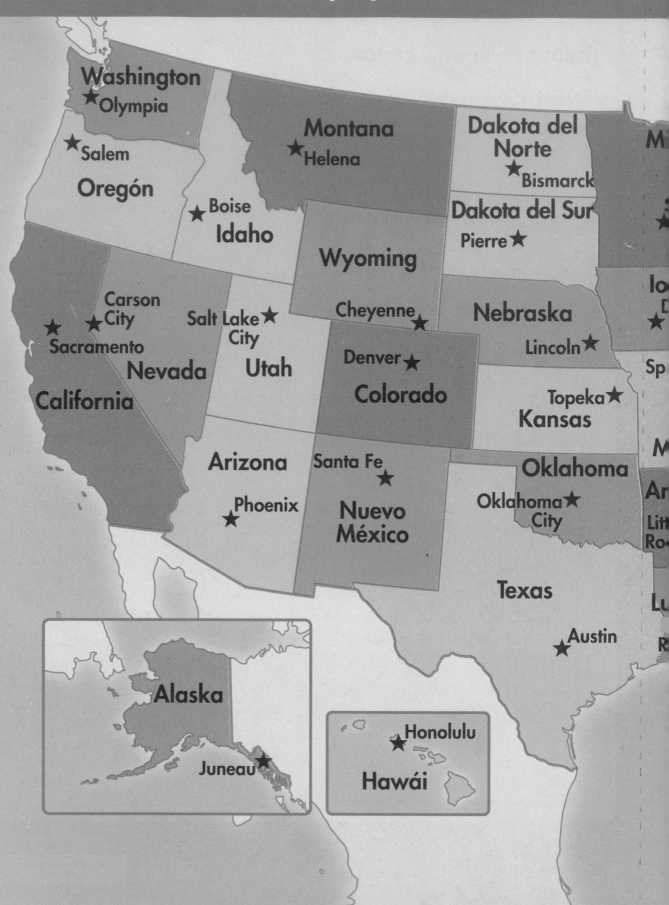

Washington
★ Olympia

★ Salem

Oregón

Montana
★ Helena

★ Boise
Idaho

Wyoming

Dakota del Norte
★ Bismarck

Dakota del Sur
Pierre ★

M

Io

Carson City ★

Salt Lake City ★

★ Cheyenne

Nebraska

Lincoln ★

Sp

★ Sacramento

Nevada

Utah

Denver ★

Colorado

Topeka ★
Kansas

California

Arizona

Santa Fe ★

Oklahoma

M

Ar

★ Phoenix

Nuevo México

Oklahoma ★ City

Litt Ro

Texas

Lu

★ Austin

R

Alaska

★ Juneau

Honolulu ★

Hawái

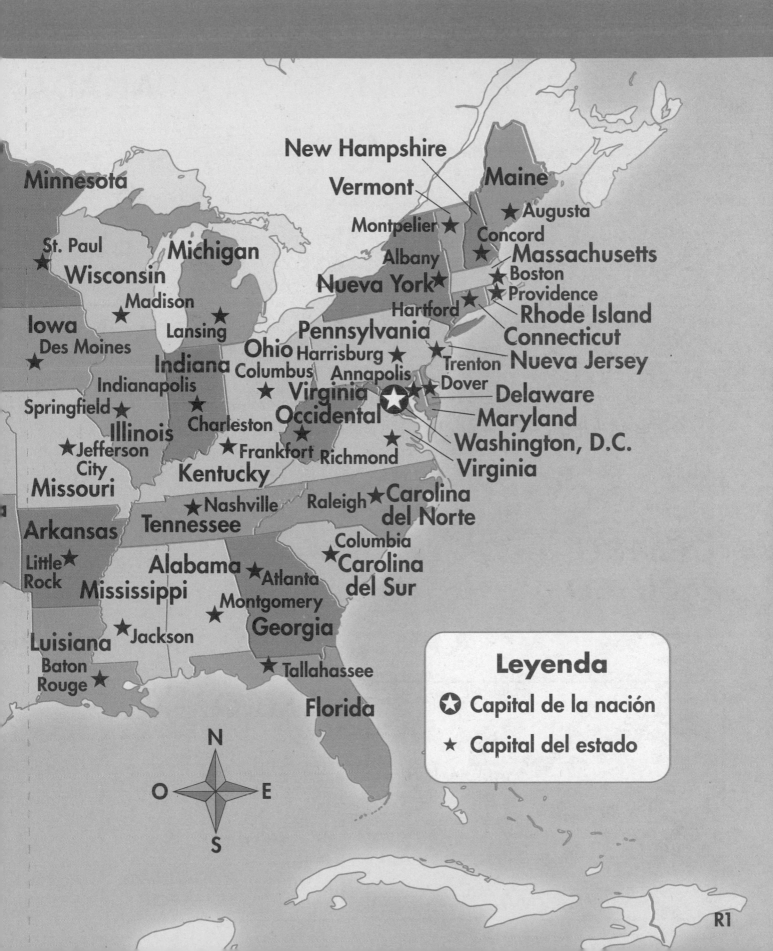

Minnesota

St. Paul
Wisconsin
Madison

Michigan

Lansing

Iowa
Des Moines

Indiana

Indianapolis

Springfield
Illinois

Jefferson
City
Missouri

Arkansas

Little
Rock

Alabama

Mississippi

Jackson

Luisiana

Baton
Rouge

New Hampshire

Vermont

Montpelier

Albany

Nueva York

Hartford

Maine

Augusta

Concord

Massachusetts

Boston

Providence

Rhode Island

Connecticut

Pennsylvania

Ohio
Columbus

Harrisburg

Annapolis

Trenton

Dover

Nueva Jersey

Virginia
Occidental

Charleston

Frankfort

Kentucky

Richmond

Delaware

Maryland

Washington, D.C.

Virginia

Nashville

Tennessee

Raleigh

Carolina
del Norte

Columbia

Carolina
del Sur

Atlanta

Montgomery

Georgia

Tallahassee

Florida

N

O   E

S

Leyenda

⭐ Capital de la nación

★ Capital del estado

Estados Unidos de América: Mapa físico

CANADÁ

▲ Monte Rainier

Montañas Rocosas

Pico ▲ Gannett

Grandes Llanuras

Monte Whitney ▲

Monte Elbert ▲

OCÉANO PACÍFICO

Río Grande

MÉXICO

G

Monte McKinley ▲

0   400 mi

0   400 km

0   100 mi

0   100 km

Mauna Kea ▲

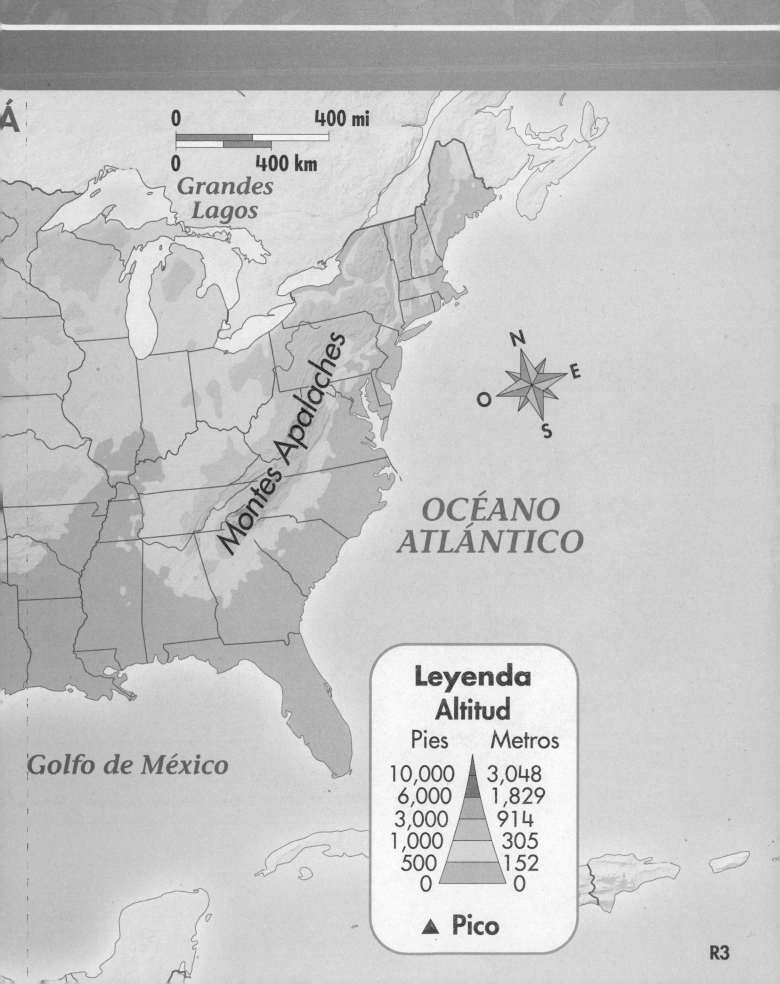

Á

0   400 mi

0   400 km

Grandes Lagos

Montes Apalaches

OCÉANO ATLÁNTICO

Golfo de México

Leyenda
Altitud

Pies	Metros
10,000	3,048
6,000	1,829
3,000	914
1,000	305
500	152
0	0

▲ **Pico**

AMÉRICA
DEL NORTE

OCÉANO
ATLÁNTICO

ECUADOR

OCÉANO
PACÍFICO

AMÉRICA
DEL SUR

N

O   E

S

PRIMER MERIDIANO

OCÉANO GLACIAL ANTÁRTICO

A

OCÉANO GLACIAL ÁRTICO

EUROPA

ASIA

ÁFRICA

OCÉANO
PACÍFICO

OCÉANO
ÍNDICO

AUSTRALIA

0   2,000 mi

0   2,000 km

OCÉANO GLACIAL ANTÁRTICO

NTÁRTIDA

Glosario

A

ahorrar Guardar dinero para usarlo después. Voy a ahorrar dinero para comprar el libro. VERBO

alcalde Líder principal de un pueblo o una ciudad. El señor García es el alcalde de mi pueblo. SUSTANTIVO

B

bienes Cosas que los trabajadores producen o cultivan. Puedes comprar bienes, como frutas, en el mercado. SUSTANTIVO

C

calendario Tabla que muestra los días, las semanas y los meses del año. Mayo es un mes del calendario. SUSTANTIVO

celebrar Hacer algo especial. Mañana vamos a celebrar la boda de mi hermana. VERBO

ciudadano Miembro de un estado o un país (o nación). Soy ciudadano de los Estados Unidos. SUSTANTIVO

colina Formación de tierra alta, pero no tanto como una montaña. Vivo en la cima de una colina. SUSTANTIVO

colonia Tierra gobernada por otro país. La Florida antes era una colonia de España. SUSTANTIVO

comunicarse Compartir información con otras personas. Las personas pueden comunicarse por teléfono. VERBO

comunidad Lugar donde las personas viven, trabajan y juegan. En mi comunidad hay un desfile el Día de los Caídos. SUSTANTIVO

consumidor Alguien que compra o usa bienes y servicios. Mi papá es consumidor cuando compra alimentos. SUSTANTIVO

continente Área muy grande de tierra. América del Norte es un continente. SUSTANTIVO

contribuir Dar algo para ayudar a un grupo. Voy a contribuir con mi tiempo para ayudar en la colecta de alimentos. VERBO

cooperar Trabajar en conjunto. Cooperamos para mantener ordenada la clase. VERBO

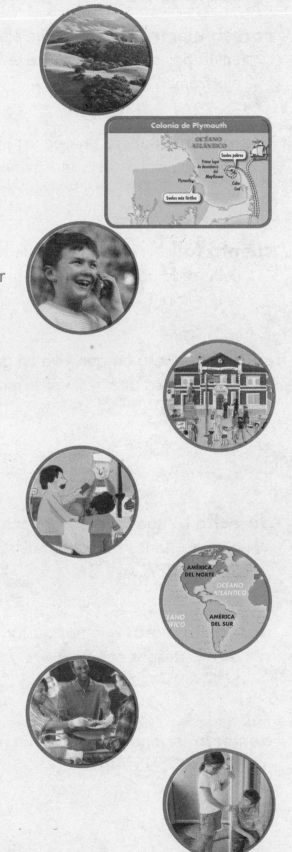

correo electrónico Mensaje electrónico que se envía por computadora. Le envié un **correo electrónico**. SUSTANTIVO

costumbre Manera en que las personas suelen hacer algo. Las personas tienen por **costumbre** darse la mano para saludarse. SUSTANTIVO

cuento folklórico Cuento que forma parte de la cultura de una comunidad. El **cuento folklórico** sobre Paul Bunyan es inventado. SUSTANTIVO

cultura Manera en que vive un grupo de personas. Celebrar los días festivos es parte de la **cultura**. SUSTANTIVO

D

derecho Lo que las personas son libres de hacer o tener. Tienes **derecho** a asistir a la escuela. SUSTANTIVO

deseos Las cosas que nos gustaría tener. Algunos de mis **deseos** son un juego y patines. SUSTANTIVO

desierto Terreno muy seco. Llueve muy poco en el desierto. SUSTANTIVO

día festivo Día especial. El Kwanzaa es un día festivo que celebramos en mi familia. SUSTANTIVO

dinero Monedas o billetes que las personas usan para comprar cosas. El juego costó mucho dinero. SUSTANTIVO

dirección Palabra que indica hacia dónde ir o dónde está algo. *Este* es una dirección en un mapa. SUSTANTIVO

documento Hoja de papel con palabras. La Constitución es un **documento** importante. SUSTANTIVO

E

electricidad Tipo de energía. Nuestro horno usa electricidad. SUSTANTIVO

escaso Cuando no hay suficiente cantidad de algo. Muchas plantas no crecen si el calor del sol es escaso. ADJETIVO

estado del tiempo Cómo está el día afuera en un determinado momento y lugar. Espero que el **estado del tiempo** sea bueno durante nuestro picnic. SUSTANTIVO

explorador Persona que viaja a lugares desconocidos para descubrir qué hay allí. Un astronauta es un **explorador**. SUSTANTIVO

F

fábula Cuento que enseña una lección. Aprendí una lección cuando leí la **fábula** "La hormiga y el saltamontes". SUSTANTIVO

familia Grupo de personas que viven juntas. Tengo una **familia** grande. SUSTANTIVO

fiesta Celebración con baile y música. Escucharemos música en la **fiesta**. SUSTANTIVO

fuente primaria Algo que está escrito o está hecho por una persona que estuvo en un suceso. Una foto es un tipo de **fuente primaria**. SUSTANTIVO

fuente secundaria Algo que está escrito o está hecho por una persona después de que ocurrió un suceso. Un libro de historia es una **fuente secundaria**. SUSTANTIVO

futuro Lo que ocurrirá después de hoy. En el **futuro**, quiero ser astronauta. SUSTANTIVO

G

globo terráqueo Modelo redondo de la Tierra. Puedo buscar América del Norte en un **globo terráqueo**. SUSTANTIVO

gobernador Líder de un estado. Nuestro **gobernador** quiere que ayudemos a mantener limpios los parques. SUSTANTIVO

gobierno Grupo de ciudadanos que trabajan juntos para hacer reglas y leyes. El **gobierno** de nuestro estado aprobó una ley de reciclaje. SUSTANTIVO

H

héroe Alguien que se esfuerza para ayudar a los demás. Un bombero es un **héroe** que ayuda a salvar vidas. SUSTANTIVO

himno Canción de alabanza. Cantamos el **himno** nacional todas las mañanas en la escuela. SUSTANTIVO

historia Relato de las personas, los lugares y los sucesos o acontecimientos del pasado. Yo estudio **historia** en la escuela. SUSTANTIVO

I

idioma Conjunto de palabras que usamos al hablar. Mi familia habla más de un **idioma**. SUSTANTIVO

independencia Libertad. Texas consiguió su **independencia** al separarse de México. SUSTANTIVO

intercambiar Dar una cosa para obtener otra. A mi amigo y a mí nos gusta **intercambiar** libros. VERBO

invento Algo que se hace por primera vez. La lavadora es un **invento** útil. SUSTANTIVO

inventor Persona que piensa en cosas nuevas. Benjamin Franklin es uno de los **inventores** sobre los que leí. SUSTANTIVO

J

juramento Promesa de ser leal. Yo digo un **juramento** a la bandera. SUSTANTIVO

L

lago Masa de agua grande rodeada de tierra. Paseamos en bote por el **lago**. SUSTANTIVO

ley Regla que todos deben obedecer. En nuestro estado hay una **ley** sobre el uso del cinturón de seguridad. SUSTANTIVO

leyenda Lista que indica qué quieren decir los símbolos de un mapa. Usé la **leyenda** del mapa para hallar el parque. SUSTANTIVO

libertad El derecho de una persona de escoger opciones. Las personas tienen **libertad** para votar en nuestro país. SUSTANTIVO

líder Alguien que ayuda a las personas a decidir qué hacer. El entrenador es un **líder** de mi escuela. SUSTANTIVO

limitar Estar ubicado junto a algo. Cuatro estados **limitan** con Texas. VERBO

M

mapa Dibujo de un lugar que muestra dónde están las cosas. Usamos un **mapa** para hallar el camino a tu casa. SUSTANTIVO

medio de transporte Manera en que las personas van de un lugar a otro. Usamos autobuses como **medio de transporte**. SUSTANTIVO

medir Dividir algo en partes que se pueden contar. Para **medir** el tiempo, lo dividimos en horas y días. VERBO

mercado Lugar donde se venden bienes. Mi mamá compra el pan en el **mercado**. SUSTANTIVO

misión Un centro en el que vivían y trabajaban sacerdotes españoles. El Álamo empezó como una **misión** católica. SUSTANTIVO

montaña La formación de tierra más alta. Hay nieve en la cima de la **montaña**. SUSTANTIVO

N

nación Grupo de personas que tienen un gobierno. El presidente es el líder de nuestra **nación**. SUSTANTIVO

necesidades Cosas que las personas deben tener para vivir. Los alimentos y la ropa o vestimenta son **necesidades**. SUSTANTIVO

O

océano Masa de agua salada muy grande. Nadamos en el **océano** todos los veranos. SUSTANTIVO

opción Cosa que se escoge de entre dos o más cosas. Mi **opción** de merienda es una barra de cereal. SUSTANTIVO

P

pasado Lo que ocurrió antes de hoy. En el **pasado**, aprendí a montar en bicicleta. SUSTANTIVO

pedir prestado Obtener dinero de una persona o de un banco y prometer devolverlo. Mi papá quiere **pedir prestado** dinero para comprar un carro. VERBO

presente Lo que ocurre ahora. Las escuelas del **presente** son diferentes de las escuelas del pasado. SUSTANTIVO

presidente Líder de nuestro país. Las personas votan para elegir al **presidente**. SUSTANTIVO

productor Alguien que produce o cultiva bienes. Un granjero es un **productor**. SUSTANTIVO

R

reciclar Hacer algo nuevo con algo que se usó antes. Se puede **reciclar** papel para hacer papel nuevo. VERBO

reducir Usar menos cantidad de algo. Podemos reducir la cantidad de agua que usamos. VERBO

reloj Instrumento que muestra qué hora es. Hay un **reloj** grande en nuestro salón de clase. SUSTANTIVO

responsabilidad Algo que debe hacer una persona. Dar de comer al perro es mi responsabilidad. SUSTANTIVO

reutilizar Usar algo más de una vez. Puedo reutilizar una bolsa para llevar cosas de la tienda. VERBO

río Larga masa de agua que corre por la tierra hacia un lago o un océano. Navegamos en bote por el río. SUSTANTIVO

servicios Trabajos que las personas hacen para los demás. Enseñar y entrenar son **servicios**. SUSTANTIVO

símbolo Algo que representa otra cosa. La bandera de nuestro país es un **símbolo** de los Estados Unidos. SUSTANTIVO

T

trabajo Tarea que hacen las personas. Mi trabajo en casa es lavar los platos. SUSTANTIVO

tradición Manera de hacer algo que se transmite entre las personas a través del tiempo. Una tradición de mi familia es almorzar juntos el domingo. SUSTANTIVO

V

vivienda Lugar donde vivir. Todos necesitamos alimentación, ropa o vestimenta y una **vivienda**, o casa. SUSTANTIVO

votar Escoger una opción que se cuenta. Un día podré **votar** para presidente. VERBO

Índice

El índice lista las páginas en las que aparecen los temas en el libro. Los números de página seguidos de *m* indican mapas. Los números de página seguidos de *i* indican imágenes. Los números de página seguidos de *t* indican tablas o gráficas. Los números de página seguidos de *l* indican líneas cronológicas. Los números de página en **negrita** indican definiciones de vocabulario. Los términos *Ver* y *Ver también* indican entradas alternativas para el término.

Reconocimientos

Text Acknowledgments

Grateful acknowledgement is made to the following for copyrighted material:

Page 9

Song "Texas, Our Texas," music by William J. Marsh, lyrics by Gladys Yoakum Wright & William J. Marsh.

Maps

XNR Productions, Inc.

Photographs

Photo locators denoted as follows: Top (T), Center (C), Bottom (B), Left (L), Right (R), Background (Bkgd)

Cover

Front Cover (TL) Soccer game, Robin Russell/Alamy; (TR) Astronaut and spacecraft, 1971yes/Shutterstock; (CC) Girl on bus, Bikeriderlondon/Shutterstock; (BC) Eagle, visuelldesign/Shutterstock. **Back Cover** (TR) Texas flag, soleilc1/Fotolia; (CC) Armadillo, SunnyS/Fotolia; (BC) Rodeo, JustStockPhotos/Alamy.

Text

Front Matter

x: Comstock Images/AGE Fotostock; xi: Martin Wierink/Alamy; xiv: Rhea Anna/Getty

Celebrate Texas and the Nation

001: Bill Bachmann/Alamy; 002: ZUMA Press, Inc./Alamy; 005: Rob Wilson/Shutterstock; 008: michaeljung/Fotolia; 010: Comstock/AGE Fotostock; 011: Smiley N. Pool, Houston Chronicle/AP Images; Ronnie Wilson/Alamy

Chapter 01

016: Ariel Skelley/Blend Images/Getty Images; 017: Comstock Images/AGE Fotostock; 020: Dorling Kindersley Media Library; 021: Tyler Olson/Fotolia; 023: Frank Siteman/PhotoEdit; 026: fc1/picturesbyrob/Alamy; 027: Designpics/Glow Images; 028: Karen Kasmauski/Terra/Corbis; 028: Tetra Images/Getty Images; 029: Spencer Grant/Science Source; 029: wong sze yuen/Shutterstock; 032: Lacy Atkins/Corbis News/Corbis; 034: iStockphoto/Thinkstock; 035: Dennis MacDonald/PhotoEdit; 036: Education & Exploration 2/Alamy Stock Photo; 037: Stewart Cohen/Blend Images/Getty Images; 038: Elena Yakusheva/Shutterstock; 039: Christopher Halloran/Shutterstock; 039: David R. Frazier Photolibrary, Inc./Alamy; 040: ZUMA Press, Inc./Alamy; 042: henri conodul/

PhotoLibrary; 043: Thomas Del Brase/Photographer's Choice RF/Getty Images; 044: David Madison/Getty Images; 044: Jupiterimages/liquidlibrary/Thinkstock; 044: Lagui/Shutterstock; 045: Dorling Kindersley; 045: James Steidl/Fotolia; 045: Jupiterimages/Photos.com/thinkstock; 046: Stock Montage/SuperStock; 047: Comstock/Thinkstock; 048: lawcain/Fotolia; 048: Rich Koele/Shutterstock; stephen jones/Fotolia; ZUMA Press, Inc./Alamy

Chapter 02

059: IE127/Image Source/Alamy; 060: Maria Spann/Getty Images; 060: Ray Kachatorian/Getty Images; 062: charlie bonallack/Alamy; 062: Creatas Images/Thinkstock; 062: Pixtal/SuperStock; 063: Masterfile; 063: Peter Beck/Corbis; 063: WoodyStock/Alamy; 064: Dave Nagel/Getty Images; 068: Bon Appetit/Alamy; 068: Danny E Hooks/Shutterstock; 068: Kai Wong/Shutterstock; 069: Eye Ubiquitous/SuperStock; 069: verdateo/Fotolia; 069: WavebreakmediaMicro/Fotolia; 070: blue jean images/Getty Images; 070: Christopher Futcher/E+/Getty Images; 074: Hemera Technologies/Thinkstock; 076: Monkey Business/Fotolia; 078: Exactostock/SuperStock; 078: SuperStock; 079: Image Source/Getty Images; 079: Pedro Nogueira/Shutterstock; 079: Photos.com/Thinkstock; 083: Kevin Dodge/Corbis; 084: Andersen Ross/Blend Images/Getty Images; 084: Shalom Ormsby/Blend Images/Corbis; 085: Islandstock/Alamy; 085: Kadmy/Fotolia; 086: H. Edward Kim/National Geographic/Getty Images; 086: Kathryn Scott Osler/Denver Post/Getty Images; 088: Martin Wierink/Alamy; 088: Pedro Nogueira/Shutterstock; 089: Islandstock/Alamy; 089: Pixtal/SuperStock

Chapter 03

102: Gorilla/Fotolia; 102: JGI/Jamie Grill/Blend Images/Getty Images; 103: Serg64/Shutterstock; 108: AdamEdwards/Shutterstock; 109: Jupiterimages/Thinkstock; 109: Phil Emmerson/Shutterstock; 109: Wendy Connett/Robert Harding World Imagery/Getty Images; 110: Dorling Kindersley Media Library; 110: Medioimages/Photodisc/Thinkstock; 110: Milosz Aniol/Shutterstock; 112: NPA/Stone/Getty Images; 116: Ariel Skelley/Blend Images/Corbis; 116: iStockphoto/Thinkstock; 118: Jim West/Alamy; 119: iStockphoto/Thinkstock; 120: Pavel Losevsky/Fotolia; 120: Sripfoto/Fotolia; 120: Steve Smith/Purestock/SuperStock; 122: altrendo travel/Getty Images; 123: Vasca/Shutterstock; 124: Maksim Toome/Shutterstock; 124: Ocean/Corbis; 124: Ssguy/Shutterstock; 125: EuroStyle Graphics/Alamy; 125: iStockphoto/Thinkstock; 126: Erin Patrice O'Brien/Photodisc/Getty Images; 126: moodboard/Corbis; 126: Stockbyte/Thinkstock; 173: Steve Peixotto/Getty Images; John Foxx Collection. Imagestate; MIXA Co., Ltd

Chapter 04

136: cantor pannatto/Fotolia; 136: Newscom; 136: Valerie Kuypers/AFP/Getty Images; 136: XiXinXing/Getty Images; 137: Cindy Hopkins/Alamy; 137: Jerod Foster/Icon SMI CDM/Newscom; 138: Bon Appetit/Alamy; 138: Danny E Hooks/Shutterstock; 138: Kui Wong/Shutterstock; 139: Masterfile Corporation; 140: David P. Smith/Shutterstock; 140: Gary Yim/Shutterstock; 142: Creatas Images/Thinkstock; 142: JGI/Tom Grill/Blend Images/Corbis; 142: Sonya etchison/Shutterstock; 143: Ronnie Kaufman/Corbis; 144: Atlantide Phototravel/Corbis; 146: Keren Su/Corbis; 146: Seiya Kawamoto/Thinkstock; 147: Steve Peixotto/Getty Images; 148: Cultura/Alamy; 148: Hugh Sitton/Corbis; 150: Masterfile Corporation; 152: David J. Phillip/AP Images; 154: Medioimages/Photodisc/Thinkstock; 154: Tatjana Strelkova/Shutterstock; 156: Alexander Raths/Fotolia; 156: Everett Collection/Newscom; 156: Vvvita/Fotolia; 157: bikeriderlondon/Shutterstock; 157: Niday Picture Library/Alamy; 158: Brand X Pictures/Stockbyte/Getty Images; 160: Bob Daemmrich/Alamy; 161: Ocean/Corbis; 162: Library of Congress Prints and Photographs Division[LC-DIG-pga-01368]; 162: Library of Congress Prints and Photographs Division[LC-USZ62-4063]; 163: Bob Adelman/Magnum Photos; 164: Comstock/Thinkstock Images; 170: Nataliya Hora/Shutterstock; 171: iStockphoto/Thinkstock; 173: JGI/Tom Grill/Blend Images/Corbis; 173: Keren Su/CORBIS; 173: Masterfile; 173: Monkey Business/Fotolia; 174: Michael H/Digital Vision/Getty Images

Chapter 05

176: Greg Dale/National Geographic Society/Corbis; 180: Kevin R. Morris/Bohemian Nomad Picturemakers/Corbis; 181: Edwin Remsberg/Alamy; 186: View Stock/Alamy; 187: Ariel Skelley/Corbis; 187: Everett Collection/Superstock; 187: Library of Congress Prints and Photographs Division[LC-DIG-ppmsc-04830]; 188: Underwood & Underwood/Corbis; 189: Gary Conner/PhotoEdit; 192: Darren Modricker/Corbis; 192: Rhea Anna/Photolibrary/Getty Images; 193: Bettmann/Corbis; 194: Gelpi/Shutterstock; 196: 1971yes/Shutterstock; 196: Atlaspix/Shutterstock; 196: NewsCom; 196: United States Mint; 197: Washington State Historical Society/Art Resource, NY; 198: AP Images; 198: World History Archive/Alamy; 200: B Christopher/Alamy; 200: Library of Congress Prints and Photographs Division Washington, D.C.[HABS SC,43-STATBU,1−28]; 200: Scanrail/Fotolia; 201: Education Images/Universal Images Group Limited/Alamy; 201: Stapleton Historical Collection/Heritage Image Partnership Ltd/Alamy; 201: Steve Gorton/Dorling Kindersley; 202: Fotosearch/Archive Photos/Getty Images; 204: imagebroker.net/SuperStock; 204: Kate Kunz/Corbis; 205: Edouard Debat-Ponsan/The Bridgeman Art Library/Getty Images; 205: Monkey Business Images/Shutterstock; 205: sequarell/Shutterstock; 206: Ocean/Corbis; 211: ZouZou/Shutterstock; 212: Nancy Carter/North Wind Picture Archives/Alamy; 213: Bettmann/Corbis; 213: Underwood & Underwood/Corbis

Glossary

R06: Exactostock/SuperStock; R06: Comstock Images/AGE Fotostock; R07: Thinkstock; R07: Stockbyte/Thinkstock; R07: Brand X Pictures/Stockbyte/Getty Images; R08: ZouZo/Shutterstock.com; R08: Ronnie Kaufman/Corbis; R08: Newscom; R08: Tyler Olson/Fotolia; R08: IE127/Image Source/Alamy; R08:Wendy Connett/Robert Harding World Imagery/Getty Images; R09: Thinkstock Images; R09: Image Source/Getty Images; R09: Bettmann/CORBIS; R09: Steve Smith / Purestock / SuperStock; R10: NASA; R10: Creatas/Thinkstock; R10: Steve Peixotto/Getty Images; R10: Rhea Anna/Photolibrary/Getty Images; R10: Comstock Image/Jupiter Images/Thinkstock; R10: 1971yes/Shutterstock.com; R11: Serg64/Shutterstock.com; R11: henri conodul/PhotoLibrary; R11: Hermera/Thinkstock; R11: Jamie Grill/Getty Images; R11: Gary Conner/PhotoEdit; R12: Lawrence Migdale/Getty Images; R12: AP Images/David J. Phillip; R12: Kate Kunz/Corbis; R12: B Christopher/Alamy; R12: Comstock Images/AGE Fotostock; R12: Milosz Aniol/Shutterstock.com; R13: Greg Sorber/Albuquerque Journal/ZUMA Press, Inc./Alamy; R13: iStockphoto/Thinkstock.com; R13: EuroStyle Graphics/Alamy; R14: Ron Buskirk/Alamy; R14: Rob Wilson/Shutterstock; R14: Phil Emmerson/Shutterstock.com; R14: Wally McNamee/CORBIS; R14: Medioimages/Photodisc/Thinkstock; R15: Monkey Business/Fotolia; R15: Library of Congress Prints and Photographs Division [LC-DIG-ppmsc-04830]; R15: Shalom Ormsby/Blend Images/Corbis; R15: Ariel Skelley/Corbis; R15: Christopher Halloran/Shutterstock.com; R15: Superstock; R15: Mike Flippo/Shutterstock.com; R16: Ariel Skelley/Blend Images/Corbis; R16: Dorling Kindersley Media Library/DK IMAGES; R16: Dorling Kindersley Media Library; R16: Masterfile; R16: Jupiterimages/Photos.com/thinkstock; R17: Dennis MacDonald PhotoEdit; R17: Masterfile; R17: David P. Smith/Shutterstock.com